LLYGAID MISTAR NEB

Llygaid Mistar Neb

Michael Morpurgo

Addasiad Emily Huws

Nofel arall gan Michael Morpurgo gan Wasg Carreg Gwalch:

CEFFYL RHYFEL

Argraffiad cyntaf: 2012

Rhif rhyngwladol:
978-1-84527-411-5

Mae'r cyhoeddwyr yn cydnabod cefnogaeth ariannol
Cyngor Llyfrau Cymru

Cyhoeddwyd gyntaf yn Saesneg yn 1989 dan y teitl *Mr Nobody's Eyes*
gan Heinemann Young Books, yna gan Egmont UK Ltd,
239 Kensington High Street, Llundain W8 6SA.

Cyhoeddwyd gan Wasg Carreg Gwalch,
12 Iard yr Orsaf, Llanrwst, Dyffryn Conwy, Cymru LL26 0EH.
Ffôn: 01492 642031
Ffacs: 01492 642502
e-bost: llyfrau@carreg-gwalch.com
lle ar y we: www.carreg-gwalch.com

Argraffwyd a chyhoeddwyd yng Nghymru

PENNOD UN

Roedd Harri ar ei ben ei hun, yn meddwl. Er ei fod yng nghanol tua dau gant o blant ar iard yr ysgol, teimlai'n hollol ar ei ben ei hun. Efallai mai heddiw fyddai'r diwrnod tyngedfennol, efallai fory – oni bai fod rhywbeth yn mynd o'i le. Gallai hynny ddigwydd yn hawdd – a dyna oedd gobaith mawr Harri, er ei fod yn gwybod yn iawn na ddylai hyd yn oed feddwl felly. Ond ni fedrai beidio. Roedd yn gobeithio ac yn gobeithio.

'Dan ni angen gôli!' bloeddiodd Emyr Griffith arno o ochr bellaf yr iard. Trodd Harri i ffwrdd. Roedd Emyr Griffith yn eistedd wrth ei ochr yn y côr yn eglwys Sant Cynwyl a'r ddau'n arfer cyfnewid cardiau sigaréts (y rhai o bêl-droedwyr efo pennau mawr). Roedd pregethau'r Tad Murphy yn tueddu i fod yn hirwyntog ar fore Sul, a byddai ffeirio slei y bechgyn rhwng plygiadau gwisg wen yr Offeren yn ychwanegu tipyn o sbeis pechadurus at y busnes: un Tom Finney am un Billy Wright oedd hi'r Sul diwethaf.

'Ty'd 'laen, Harri.' Roedd Emyr yn chwifio arno i

ddod ato fo a phawb yn gweiddi. 'Does gynnon ni neb arall!' Doedd ganddo ddim dewis.

Roedd y gôl roedd yn rhaid iddo'i hamddiffyn yn ddwywaith y lled arferol, rhwng dau bolyn y ffens gadwyn rydlyd, gydag anialwch y tir oedd wedi'i fomio y tu ôl iddyn nhw. Ond roedd hynny'n ddigon teg hefyd, gan fod y gôl arall yr un mor llydan, yn ymestyn rhwng y ddwy beipen ar wal y toiledau. Roedden nhw'n aml yn dewis Harri fel gôl-geidwad – doedd o'n dda i fawr o ddim byd arall. Gwyddai na fyddai ganddo fawr i'w wneud, felly pwysodd ei gefn ar y ffens a dal ati i feddwl.

'Mae meddwl drwg yn bechod ynddo'i hun, Harri.' Dyna oedd y Tad Murphy wedi'i ddweud wrtho yn y gyffesgell. Os oedd hynny'n wir – ac roedd Harri'n credu'r rhan fwyaf o'r hyn ddywedai'r Tad Murphy wrtho – yna roedd pentwr pechodau Harri'n tyfu'n gyflym. Rhaid iddo beidio â gadael iddo'i hun feddwl mwy am y peth. Yn lle hynny byddai'n meddwl am y Rhyl. Roedd o bob amser yn llwyddo i anghofio'i ofidiau wrth feddwl am y Rhyl. Roedd wedi gwneud hynny'n ddigon aml yn ystod y ddwy flynedd ddiwethaf, byth ers i Dafydd ddod i fyw efo nhw. Yn y Rhyl roedd Harri y tro diwethaf roedd o'n teimlo'n hapus.

Cofiai bob awr, bob munud, o'r amser hwnnw. Roedd y rhyfel newydd ddod i ben, a'i fam ac yntau wedi gwneud yr hyn roedd hi wedi'i addo fydden nhw'n ei wneud ar ddiwedd y rhyfel. Roedd y ddau wedi mynd ar y trên o Lerpwl i'r Rhyl i aros am wythnos ar lan y môr. Roedd Harri wastad wedi bod eisiau gweld i ble roedd y trenau'n mynd wrth iddyn nhw bwffian heibio'r eglwys ac o dan y bont y tu hwnt i'r gerddi. Ac wrth syllu drwy'r ffenest, roedd o wedi gweld tŵr yr eglwys a'r fynwent yn fflachio heibio cyn iddyn nhw ddyrnu ymlaen o dan y bont. Eisteddai ei fam wrth ei ochr yn ei siwt frown orau, yn dawel a digyffro yng nghanol sŵn a mwg y cerbyd, a'r milwyr yn eu hesgidiau trymion yn chwerthin ar eu ffordd adref, y rhyfel bellach ar ben.

'Ydi'ch gŵr yn y Llu Awyr?' holodd un ohonyn nhw, yn sylwi ar y froets siâp adenydd a wisgai mam Harri ar ei siwt frown bob amser.

'Roedd o,' atebodd hithau, heb ddweud rhagor. Tawelodd y milwyr, gan edrych ar ei gilydd a gwingo'n annifyr, a theimlodd Harri'r don gynnes o falchder yn llifo drwyddo bob tro y byddai rhywun yn sôn am ei dad. Edrychodd i fyny ar ei fam a gwenu. Cydiodd hithau yn ei law a'i gwasgu. Doedd dim galar ar ôl bellach, wedi pedair blynedd – dim ond teimlad o golled wedi'i rhannu rhyngddynt ac yn eu clymu gyda'i gilydd. Brith gof oedd gan Harri am ei dad, ond roedd ei lun ar y silff ben tân yn yr ystafell fyw a'r fedal wrth ei ochr.

'Mae gen ti hogyn da yn fan'na,' meddai'r milwr, yn tynnu baryn o siocled o boced ei siaced.

'Felly dw inna'n meddwl,' meddai mam Harri gan wenu.

'Wyt ti'n bwyta siocled, 'ngwas i?'

'Sôn am gwestiwn hurt,' meddai mam Harri, a'r cerbyd yn siglo'n braf wrth i bawb chwerthin a bwyta siocled yr holl ffordd i'r Rhyl.

Cododd bloedd fawr wrth i dîm Harri sgorio gôl yn erbyn wal y toiledau, ond fe'i dilynwyd gan daeru a dadlau am fod y gôli'n mynnu bod y bêl wedi taro yn erbyn y lander uwch ei ben. Cydiodd mewn darn o'r lander a'i ddangos fel tystiolaeth, a bu hen ffraeo am amser hir cyn i'r gôl gael ei chaniatáu o'r diwedd.

Gwenodd Harri a meddwl am y Rhyl, am rif dau ddeg dau Gwêl y Don; am Mrs Morgan, gwraig y llety – 'Galwa fi'n Anti Enid,' oedd ei geiriau cyntaf wrtho – a'r ystafell wely fechan a rannai efo'i fam. Cofiodd am y storïau roedd ei fam wedi'u darllen iddo yn y gwely, arogl y cynfasau glân, a'r adar to yn ffraeo y tu allan i'w ffenest. A'r diwrnod roedden nhw wedi codi castell tywod efo gwrthgloddiau a thyrau, a waliau o gregyn cyllyll y môr – roedden nhw wedi casglu cannoedd ohonyn nhw – er mwyn iddo wrthsefyll y tonnau am byth. Roedd ganddo ddarlun yn ei feddwl o'r ffos anferth roedden nhw wedi'i chynllunio, a'r bont styllen o froc môr. Bu'n sefyll ar y bont yn gwylio ymchwydd y llanw yn rhuthro i fyny'r traeth ac i mewn i'r ffos o dan ei draed cyn cael ei atal gan y wal o gyllyll y môr. Yna, wrth iddi dywyllu, a'r gwenoliaid yn sgrechian yn isel uwchben, roedden nhw wedi gosod baner ar y tŵr a chefnu ar y traeth, eu castell tywod yn ynys bellach ond yn dal i sefyll. Yna rhuthrodd dau gi du, eu cynffonnau'n chwifio'n wyllt, drwy'r pyllau dŵr. Stopiodd y ddau yn fusnes i gyd wrth y castell tywod a phenderfynu mai dyma'r union le i dyllu – yr unig dywod meddal oedd ar gael, efallai. Doedd sgrechian a gweiddi'n tycio dim i'w symud wrth iddyn nhw dyllu'n wyllt wirion ac yn hapus braf. O fewn eiliadau doedd dim o'r castell ar ôl ond pentwr di-siâp o dywod. 'Efallai mai hela cwningod môr oedden nhw,' meddai mam Harri wrth i'r ddau gerdded adref yn hapus braf ac yn llawn chwerthin.

Eu cartref dros dro oedd tŷ gwyn Anti Enid, gyda'r balconi gwyrdd o'i amgylch i gyd, lle roedd y bwyd bob amser yn llenwi'ch plât at yr ymylon a rhagor ar gael bob amser. 'Chlywsoch chi ddim fod bwyd wedi'i ddogni?' gofynnodd mam Harri.

'Dogni, 'mach i? 'Rioed wedi clywed amdano!' chwarddodd Anti Enid, gan daro'i bys ar ei thrwyn yn gynllwyngar. 'Pwy dach chi'n nabod sy'n bwysig,' meddai hi. 'Ddyweda i ddim rhagor.'

Byddai Anti Enid yn paratoi basged bicnic iddyn nhw fynd efo nhw bob dydd i lan y môr neu ar y clogwyni. Roedd yn well gan fam Harri beidio â bwyta cinio ar y tywod, felly cerddai'r ddau ar y clogwyni i chwilio am le addas. Ar ôl taenu'r lliain coch a gwyn, byddent yn gwledda ar y rholiau selsig a'r bisgedi gan edrych i lawr ar y gwylanod a'r adar drycin yn hofran ar y gwynt islaw.

Roedden nhw ar eu ffordd yn ôl o'r traeth un noson pan arhosodd ei fam ac yntau i wylio pelydrau olaf yr haul yn diflannu i'r môr. 'Dyna lle disgynnodd awyren dy dad, Harri,' meddai hi. 'Mae o allan yn fan'na yn rhywle. Wel, fedrai neb fod wedi cael gwell bedd, na fedrai?' Rhoddodd ei braich amdano a'i dynnu ati'n glòs. 'Rhaid i ni beidio'i anghofio fo, Harri.'

'*Harri*!' bloeddiodd pawb fel un. Bloedd o siom a dicter oedd hi. Doedd Harri ddim hyd yn oed wedi gweld y bêl. Clywodd hi'n dyrnu'n erbyn y rhwyd wifren uwch ei ben, a theimlodd friwsion o rwd yn syrthio ar gefn ei wddw wrth iddo blygu. Bu'r edliw'n hallt ond, drwy drugaredd, yn fyr, gan fod pawb yn gwybod mai dim ond ychydig funudau oedd ar ôl tan ddiwedd amser chwarae. Meddyliodd Harri eto am y Rhyl, er nad oedd ganddo fawr o awydd a dweud y gwir. Roedd fel hen freuddwyd sy'n rhaid ei orffen pan ddaw'n ôl, er eich bod yn gwybod bod y diwedd yn annifyr.

Y diwrnod hwnnw ar y pier oedd y diwrnod yr aeth popeth o chwith i Harri. Roedd drycin ffyrnig yn chwipio'r traeth gan hyrddio'r tywod yn ddig fel na allai neb aros yno'n hir. Roedd y clogwyni dan amdo o gymylau, felly fe fwytaon nhw'u picnic mewn arhosfan bws ac yna, ar ôl rhoi'r lliain yn ôl yn y fasged, bu'r ddau'n cerdded ar y pier. Dywedodd Harri yr hoffai gerdded yr holl ffordd i'r pen draw, a dyna wnaethon nhw, yn gafael yn dynn yn y rheiliau ac yn ei gilydd rhag iddyn nhw gael eu chwythu i'r ochr arall. Fe chwarddon nhw'n uchel yn y gwynt a'r ewyn wrth i'r tonnau ferwi'n grychias islaw gan hyrddio yn erbyn y pier. Roedden nhw wedi cyrraedd y pen draw, ac yn fyr o wynt oherwydd gwylltineb y tywydd, pan chwipiodd y gwynt y lliain allan o'r fasged bicnic, ei chwythu i lawr y pier, a'i lapio rownd y rheiliau hanner can llath i ffwrdd. Rhuthrodd Harri ar ei ôl, ond roedd rhywun wedi cyrraedd yno o'i flaen. Dyn tal oedd o, efo sbectol.

Roedd y lliain yn ei ddwylo. 'Wn i ddim a ddylet ti fod allan yn fan'ma ar dy ben dy hun,' meddai wrth i Harri gymryd y lliain o'i law.

Rhedodd ei fam ato. 'Dydi o ddim ar ei ben ei hun,' meddai. 'Mae o efo fi.'

'Ond yn mentro braidd! Dowch. Gadewch i mi'ch helpu chi.' Cydiodd y dyn yn y fasged. 'Dowch 'laen. Cydiwch mewn braich bob un a gafael yn dynn.'

Doedden nhw ddim angen ei help, a gwyddai Harri hynny; yn waeth fyth, gwyddai Harri fod ei fam yn gwybod hynny, ond cydio yn ei fraich wnaeth hi. Doedd gan Harri ddim dewis. Dilynodd ei hesiampl a hongian ar fraich y dyn yr holl ffordd yn ôl, a'r pier yn siglo wrth i'r tonnau dorri drosto a thaflu cawodydd o ewyn môr digon oer i fferru'r anadl o'u cyrff. Ar ôl cyrraedd cysgod y caffi, tynnodd y dyn ei sbectol, ysgwyd ei gôt a chyflwyno'i hun. 'Dafydd Jenkins ydw i,' meddai, gan estyn ei law i fam Harri, a gwenodd hithau wrth gydio yn ei law.

Prin y gwelodd Harri ei fam yn ystod y dyddiau nesaf. Anti Enid oedd yn codi cestyll tywod efo fo rŵan ac yn ei wthio ar y siglen yn yr ardd ffrynt. 'Taswn i wedi cael bachgen bach, mi faswn i wedi bod eisio iddo fo fod yn union fel ti, 'ngwas i,' meddai wrtho, 'ond chafodd Mr Morgan a fi mo'n bendithio.' Doedd Harri ddim yn siŵr beth roedd hi'n feddwl. Anti Enid, ac nid ei fam, oedd yn darllen stori amser gwely iddo rŵan, yn rhoi cusan iddo ac yn ei swatio yn ei wely gan adael y drws yn gil agored er mwyn iddo allu gweld y golau. Clywodd hi'n dweud wrth ei fam yn y lobi un bore, 'Edrycha i ar ôl y bachgen i chi. Mi fydd yn bleser. Wedi bod eisio un fy hun erioed, 'chi. Ewch i fwynhau'ch hun efo'ch ffrind. Unwaith yn unig mae rhywun yn ifanc.' Ac felly, bob bore ar ôl brecwast, byddai Dafydd Jenkins yn cyrraedd, a'i fam yn dweud wrth Harri, 'Dim ots gen ti, nac ydi, pwt? Bydd Anti Enid yn edrych ar d'ôl di. Fydda i'n ôl cyn amser gwely.' Ond doedd hi byth.

Amser brecwast ar y diwrnod olaf dywedodd ei fam fod Daf – roedd hi'n ei alw'n Daf erbyn hyn – yn bwriadu mynd â'r ddau ohonyn nhw am drip ar gwch. 'Mae o eisio dod i d'adnabod di,' meddai. Dywedodd Harri wrthi nad oedd yn teimlo'n hwylus iawn – roedd yn sicr na fyddai ei fam yn mynd ar y cwch petai o ddim yn teimlo'n dda. Ond methiant oedd ei dric. Rhoddodd Anti Enid ei llaw gynnes ar ei dalcen a dweud ei bod hi'n meddwl bod ei wres yn uchel, felly efallai na ddylai fynd allan, ond roedd hi'n barod iawn i'w warchod. Felly aeth ei fam a Dafydd Jenkins ar y cwch hebddo.

O'i wely, gwyliodd Harri nhw'n mynd drwy sbienddrych Anti Enid. Gwyliodd nhw allan ar y môr yn siglo yn eu cwch nes i'w ddicter wneud iddo grio. Dywedodd Anti Enid ei bod hi'n deall.

Gwasgodd o ati a rhoi cusan iddo. 'Bydd popeth yn iawn, pwt. Ofala i amdanat ti. Os byth y byddi di angen ffrind, bydd Anti Enid yma bob amser. Ty'd 'laen, coda dy galon. Mae dy fam yn dynes ddel. Mae'n naturiol iddi hi gwrdd â rhywun arall. Mae yntau'n ddyn clên – yn gweithio mewn banc, medda fo wrtha i. Dydi dynes ddim eisio aros yn wraig weddw ar hyd ei hoes – cred ti fi, pwt. Mi ddylai hi briodi eto – dyna'r peth naturiol.'

A dyna'n union ddigwyddodd ychydig fisoedd yn ddiweddarach, yn eglwys Sant Cynwyl. Cynhaliwyd y brecwast priodas yn neuadd yr eglwys. Roedd Harri yno, ar goll yng nghanol coesau'r gwesteion. 'Wyt ti'n falch mod i'n hapus, Harri?' gofynnodd ei fam iddo. Gwisgai'r un siwt frown, ond doedd y froets siâp adenydd ddim arni bellach. Nodiodd Harri.

'Dydi o ddim yn edrych yn hapus iawn i mi,' meddai Dafydd, gan blygu i lawr a rhwbio pen Harri. 'Mi ofala i amdanoch chi'ch dau o hyn ymlaen, Harri.'

'Gwena, wir, Harri bach,' meddai ei fam drwy'i dagrau. Gwenodd Harri, ond dim ond i'w phlesio hi. Rhoddodd hithau gusan iddo a sibrwd, 'Mi fydd popeth yn iawn, gei di weld.'

Ond doedd o ddim yn iawn. Fyddai dim byd yn iawn byth eto.

* * *

'*Harrriiii*!' Deffrodd Harri o'i freuddwyd, ond yn rhy hwyr. Rholiodd y bêl heibio'i droed a thrwy'r twll yn y ffens y tu ôl iddo. Gwaeddai pawb arno, Emyr Griffith yn eu plith. 'Be sy'n bod arnat ti, Harri?' meddai gan ruthro ato. 'Doeddet ti ddim hyd yn oed yn trio. Rydan ni newydd golli, ac arnat ti mae'r bai. Well i ti nôl y bêl, a hynny'n reit handi. Mi fydd y gloch yn canu unrhyw eiliad.'

Roedd trefn bendant ar gyfer nôl y bêl petai hi'n mynd drwy neu dros y ffens i'r tir wedi'i fomio. Gwyddai pawb nad oedd wiw i neb fynd ar gyfyl y fan honno.

Roedd Mr Elis, y prifathro, wedi dweud wrthyn nhw'n ddigon aml – roedd y waliau'n beryglus ac efallai fod yno fomiau heb ffrwydro. Wrth gwrs, doedd neb yn credu hynny. Casglodd dwsin neu fwy o blant o amgylch y twll yn y ffens i ffurfio sgrin o gwmpas Harri rhag i neb o'r ysgol allu sbecian drwy'r ffenestri i weld beth oedd yn digwydd. 'Ond pam fi?' gofynnodd Harri.

'Chdi adawodd y gôl i mewn, yntê?' meddai Emyr Griffith. Doedd dim ateb i hynny.

'Oes 'na olwg o rywun?' gofynnodd Harri, yn chwilio am unrhyw athrawon yn llercian o gwmpas y lle ar ddyletswydd.

'Neb,' meddai Emyr, gan droi Harri at y twll a'i wthio i lawr.

Crafangodd Harri drwy'r twll, ac roedd newydd gydio yn y bêl pan glywodd y gloch yn canu. Trodd yn gyflym, ond wrth gropian yn ôl teimlodd ei siwmper yn bachu ar y ffens. Edrychodd i fyny a galw ar rywun i'w helpu. Ond roedden nhw i gyd wedi mynd, pob un wan jac ohonyn nhw, a brasgamai Miss Prosser ar draws yr iard tuag ato, y gloch yn ei llaw. Teimlodd Harri ei siwmper, ac yna'i drowsus, yn rhwygo wrth i Miss Prosser gydio'n dynn yn ei ysgwydd a'i lusgo'n ôl drwy'r twll.

'Y Ddraig' roedden nhw'n galw Miss Prosser, a hynny am reswm da. Roedd yn ddigon drwg cael eich dal yn y tir wedi'i fomio gan unrhyw athro. Fel arfer, y gosb fyddai cael pryd o dafod yn stydi Mr Elis, yn ogystal ag ysgrifennu'r un frawddeg gannoedd o weithiau a gorfod mynd â llythyr adref. Ond roedd cael eich dal gan y

Ddraig bob amser yn fwy poenus. Roedd hi'n delio â phethau yn ei ffordd arbennig ei hun. Pan oedd y Ddraig yn eich taro chi, roedd hi'n bwriadu eich brifo. Gwyddai Harri hynny'n iawn wrth gael ei fartsio ar hyd y coridor ac i'r ystafell ddosbarth.

Roedden nhw i gyd yn eistedd yno'n llawn parchedig ofn ac arswyd, yn dystion euog i'r hyn fyddai'n digwydd. Emyr oedd yr unig un a feiddiai edrych yn ei wyneb – cododd ei ysgwyddau gan ymddiheuro â'i lygaid. Teimlai Harri'n ofnus iawn wrth feddwl am y ddefod, ond yn benderfynol o beidio â dangos hynny. Daliodd ei law allan, yn gweddïo'n daer mai ochr wastad y pren mesur fyddai'n taro cledr ei law agored y tro hwn.

'Sawl gwaith y dywedwyd wrthoch chi, Harri Hughes, nad oes neb i fynd ar gyfyl y tir wedi'i fomio?' Ni ddywedodd Harri 'run gair o'i ben. Roedd yn well felly, a byddai'r cyfan drosodd ynghynt. Doedd neb yn dadlau efo'r Ddraig, os oedd ganddyn nhw rywfaint o synnwyr cyffredin. 'Rydach chi yn gwybod nad ydych chi i fod i fynd ar gyfyl y lle yna, mae'n debyg?'

'Ydw, Miss.'

'Felly, pam aethoch chi yno?'

'I nôl y bêl, Miss.'

'Felly fe dorroch chi un o reolau'r ysgol yn hollol fwriadol?'

'Do, Miss.' Yr aros oedd y rhan waethaf. Roedd ceg Harri'n sych gan ofn a chefn ei goesau'n chwysu.

'Anufudd-dod bwriadol, herfeiddiol.' Roedd y Ddraig yn codi stêm gyda phob gair. Gafaelodd yn ei fysedd a throi ei law drosodd, y migyrnau'n wynebu at i fyny.

Gwyddai yntau'n awr fod yn rhaid iddo ddisgwyl y gwaethaf. 'Efallai y bydd hyn yn eich perswadio i fod yn ufudd yn y dyfodol.' Wrth estyn y pren mesur hir oddi ar ei desg ychwanegodd, '*Ac* fe fydd llythyr i fynd yn ôl i'ch tad.'

'Nid fo ydi 'nhad i,' meddai Harri'n ddistaw.

'Be ddwedsoch chi?'

'Nid fo ydi 'nhad i. Mae 'nhad i wedi marw.'

'O, ie, wrth gwrs. Do'n i ddim yn cofio,' meddai, a chyrliodd ei gwefusau mewn coegni sur. 'Mae pawb yn gwybod am dad Harri Hughes, yr arwr rhyfel mawr, y peilot awyren ryfel enwog. Rydych chi wedi dweud wrthon ni'n ddigon aml.'

'Nid peilot oedd o, Miss; cyfeiriwr mewn awyren fomio a . . .'

'Ydych chi'n dadlau efo fi?' Roedd ei gwefusau'n dynn o gynddaredd ffyrnig. 'Ydych chi?'

'Nac ydw, Miss.' Gwyddai Harri mai peth ffôl oedd tynnu'n groes, ond doedd o ddim am adael i neb ddweud mai Dafydd oedd ei dad, ddim hyd yn oed y Ddraig. Methodd rwystro'i hun rhag gwingo wrth iddi dynhau ei gafael ar ei arddwrn a thynnu'i law allan. Gwelodd ei thafod yn dynn rhwng ei dannedd, a gwyliodd y pren mesur yn codi. Wnaeth o ddim ymdrech i dynnu 'nôl. Roedd wedi gwneud hynny cyn hyn, a hithau wedi ei daro'n galetach. Cyrliodd ei fysedd wrth i'r pren mesur ddod i lawr, yr ymyl gul gyntaf. Gyda sŵn gwag y glec, saethodd y boen drwyddo. 'Ella y bydd hyn . . !' Daeth y pren mesur i lawr, eto ac eto. 'Ella y bydd hyn yn wers i chi! A hyn! A hyn!' Edrychodd

Harri arni, ei lygaid caled yn ei herio. Gollyngodd hithau ei arddwrn. 'A pheidiwch chi â meiddio edrych arna i fel yna, Harri Hughes, neu bydd rhagor i ddod.' Ond doedd gan Harri ddim dewis. Roedd ei geg a'i lygaid yn llawn dagrau nad oedd wiw iddo adael iddyn nhw ddianc. Byddai cau'i lygaid yn eu gollwng yn rhydd. Felly syllodd yn filain arni, ei lygaid mawr yn byllau o ddicter tywyll. Yn sydyn daeth golwg bryderus dros wyneb Miss Prosser. Trodd oddi wrtho a mwmial ar Harri i fynd i eistedd gan ofyn iddo ddod i'r ystafell athrawon i gasglu'r llythyr cyn mynd adref. Roedd popeth drosodd.

Treuliodd pawb yr hanner awr olaf yn ysgrifennu'r ddihareb 'Nid da lle gellir gwell' yn eu llyfrau. Prin y medrai Harri gydio yn y bensel gan fod ei law mor boenus. Ni fedrai weld oherwydd y dagrau yn ei lygaid – dagrau, er ei holl ymdrech, a ddisgynnai o bryd i'w gilydd ar ei lyfr. Ceisiai eu sychu cyn iddyn nhw suddo i'r papur, gan obeithio na fyddai neb yn sylwi, ond roedd pawb wedi gwneud. Yn rhyfedd iawn, wedi i chi gael curfa gan y Ddraig, roedd pawb yn cydymdeimlo, ond doedd neb yn dod draw atoch chi nac yn dweud 'run gair. Roedd fel petaech chi'n sydyn wedi cael rhyw fath o salwch heintus. Ond roedd Harri'n ddiolchgar hefyd. Golygai hynny nad oedd raid iddo siarad efo neb. Gwyddai y byddai'n anodd siarad heb grio. Arhosodd nes ei fod ar ei ben ei hun yn yr ystafell gotiau. Dyna pryd y gadawodd iddo'i hun grio. Gan gydio yn y pegiau dillad, criodd yn erbyn y wal a'i chicio'n galed nes bod dim dagrau ar ôl y tu mewn iddo.

Roedd Miss Prosser yn aros amdano y tu allan i'r ystafell athrawon. 'Does gen i ddim amser i'w wastraffu,' meddai, a rhoi'r llythyr yn ei law. 'Ewch adref ar eich union,' gwaeddodd ar ei ôl. 'A gwyliwch y traffig. Mae'n niwlog allan eto.' Synnai Harri ei bod yn teimlo unrhyw ofal amdano, ond clywodd y tynerwch yn ei llais. Edrychodd yn ôl arni. Dim ond am yr eiliad leiaf, wrth iddynt edrych ar ei gilydd o bob pen i'r coridor, teimlai Harri fod Miss Prosser yn ceisio dweud wrtho ei bod yn difaru popeth roedd hi wedi'i ddweud a'i wneud; ond yna aeth yr eiliad heibio ac roedd yn ei chasáu unwaith eto. 'Ewch, ewch,' gwaeddodd arno, 'a chofiwch roi'r llythyr i'ch llystad. Byddaf yn gofyn iddo pan wela i o.' O leiaf roedd hi wedi galw Dafydd yn llystad. Roedd hynny'n rhywbeth.

Clymodd Harri ei sgarff am ei geg wrth gamu allan i fwrllwch iard yr ysgol. Rhedodd drwy'r giatiau ac i lawr y ffordd tuag at y golau oren oedd yn fflachio wrth y groesfan. Ystwythodd ei law boenus i mewn yn ei faneg a chwythu ar y migyrnau i leddfu'r boen. Yna meddyliodd am y bregeth a gâi pan gyrhaeddai adref a throsglwyddo'r llythyr, y llythyr fyddai'n dweud pa mor anufudd a herfeiddiol y bu. Nid ei fam fyddai'n pregethu, byth – ond Dafydd neu ei fam, Nain Jenkins, efo'i hwyneb fel hen frân hyll. Roedd hi yn eu tŷ nhw'n gyson y dyddiau yma – wedi dod i roi help llaw i fam Harri, dyna oedd hi wedi'i ddweud. Gallai Harri ddychmygu beth fyddai'n digwydd. Clywai bopeth hefyd. Byddai Nain Jenkins yn edrych ar y twll yn ei siwmper a'r rhwyg yn ei drowsus. 'Dim te i ti heno.'

Dyna fyddai hi'n ei ddweud. 'Hen hogyn anystyriol wyt ti. Sut medret ti, a'th fam yn y fath gyflwr? Hollol hunanol!' Neu gallai pethau fod yn waeth fyth. Efallai ei fod eisoes wedi digwydd. Roedden nhw wedi dweud y gallai ddigwydd unrhyw ddiwrnod. Heddiw, efallai. Doedd ganddo ddim awydd mynd adref a wynebu hynny – dim eto.

Cerddodd ymlaen heibio'r goleuadau Belisha ar y groesfan, ac anelu am y parc. Doedd o ddim yn bell. Efallai y byddai pecyn sigaréts neu ddau yn y bin sbwriel wrth ymyl y fainc; roedd hwnnw bob amser yn lle da am gardiau sigaréts. Roedd yn werth edrych, meddyliodd.

Daeth Harri o hyd i giatiau'r parc drwy lwc yn fwy na dim arall. Prin y gallai weld mwy nag ychydig lathenni o'i flaen gan fod y niwl mor drwchus erbyn hyn. Aeth cysgodion yn pesychu heibio iddo yn y mwrllwch; llusgai ceir a bysiau ar hyd y ffordd, a dim byd ond eu goleuadau yn y golwg.

Ni welodd Harri neb yn y parc nes iddo gyrraedd y fainc ger y pwll hwyaid. Eisteddai rhywun yno – dyn oedd fel petai'n siarad efo'r hwyaid, efallai, neu efo fo'i hun. 'Oci, Oci. Ty'd allan o fan'na, ti'n clywed? Mae'n hen le budr. Pam ti wastad yn ffeindio llefydd budr, y?' Siaradai ag acen dramor gref, ac yna dechreuodd siarad iaith hollol wahanol. Gwelai Harri'r dyn yn gliriach erbyn hyn. Gwisgai gôt laes â choler ffwr arni, a het ddu cantel lydan. Pwysodd yn ôl ar y fainc gan chwerthin ac ysgwyd ei ben. Symudodd Harri ychydig yn nes. Roedd rhywbeth yn siffrwd yn y bin sbwriel wrth ymyl y fainc, ond allai Harri ddim gweld beth oedd yno chwaith. 'Oci!

Oci! Fi'n meddwl bod rhywun yma,' sibrydodd y dyn, yn gwyro ymlaen ac yn craffu ar Harri. 'Well i ti dod allan, Oci, cyn i nhw gweld ti.' I ddechrau, ymddangosodd pen allan o'r bin – pen mwnci du â wyneb pinc a chlustiau mawr pinc. Yna daeth y gweddill ohono allan a sgrialu ar hyd y fainc i eistedd ar lin y dyn. Roedd gan y mwnci becyn o sigaréts yn un llaw a phapur newydd yn y llall, ac edrychai'n syth ar Harri. Doedd Harri ddim yn sicr, ond tybiai fod y llygaid bach a rythai'n ôl arno'n fflachio'n felyn.

PENNOD DAU

'Oes rhywun yna?' holodd y dyn, a chamodd Harri ymlaen. 'Ty'd yn nes.' Amneidiodd y dyn arno i ddod tuag at y fainc. 'Paid â phoeni, hi dim brifo ti.' Eisteddodd y mwnci yn ei gwrcwd yn llonydd fel delw ar lin y dyn, yn pletio'i wefusau, ei lygaid yn astudio Harri wrth iddo agosáu. Daeth Harri cyn agosed ag y meiddiai. 'Pwy sy 'na?' gofynnodd y dyn.

'Fi,' meddai Harri, heb dynnu'i lygaid oddi ar y mwnci.

'O, dim ond *bambino*.' Swniai'r dyn fel petai hynny'n rhyddhad iddo. 'Fi dim yn gweld yn dda yn y niwl 'ma.' Hwtiodd y mwnci'n ddistaw. 'Mae hi eisiau bod yn ffrind i ti,' meddai'r dyn, gan chwerthin. 'Ond i ddechrau rhaid cyflwyno ti. Gen ti enw?'

'Harri Hughes.'

'Oci, dyma 'Arri 'Ughes. 'Arri 'Ughes, dyma Oci,' meddai'r dyn. 'Gen ti rywbeth bach iddi hi? Hi licio ffrwythau, unrhyw fath o ffrwythau. A fferins, hi licio siwgr barlys, minceg. Rhywbeth sgen ti.'

Ymbalfalodd Harri drwy boced ei gôt. 'Sgen i'm

llawer,' meddai, gan gynnig yr unig beth oedd ganddo, sef gweddillion afal roedd ei fam wedi'i roi iddo i fynd i'r ysgol y diwrnod cynt. Estynnodd ei law, ond gwnaeth hynny'n rhy sydyn, a sgrechiodd y mwnci gan gilio'n ôl a gafael yng nghôt y dyn.

'Arri, ti gorfod bod yn fwy ara deg,' meddai. 'Tsimpansî ydi Oci, ac maen nhw dipyn bach fel ti a fi. Nhw gorfod bod yn siŵr ti ffrind cyn nhw licio ti. Felly, ti gorfod dangos ti licio hi i ddechrau. Be sy gen ti'n fan'na?'

'Calon afal.'

'Da. Hi licio fala. Felly ti dal o allan, ond yn ara deg, a paid edrych yn llygaid hi.' Edrychodd Harri'n fwriadol ar y bin sbwriel ar ben pellaf y fainc a chynnig y galon afal eto, yn fwy pwyllog y tro hwn. Yna deallodd pam bod llygaid y tsimpansî'n fflachio'n felyn, oherwydd roedd y bin sbwriel yn fflachio hefyd – golau'r groesfan Belisha ar y ffordd y tu ôl iddo oedd yn felyn. Mae'n rhaid bod munud cyfan wedi mynd heibio cyn i'r tsimpansî symud, ac yna wnaeth hi ddim byd ond crafu'i gwddw efo'r pecyn sigaréts. Symudodd i eistedd ar lin y dyn ac edrych i fyny i'w wyneb gan swnian yn ddistaw.

'*Va bene*, Oci, *va bene*,' meddai'r dyn a mwytho pen y tsimpansî. 'Dim ond *bambino* ydi o. Ti cymryd afal, Oci. Fo un da.' Ymestynnodd Oci fraich hir ddu yn araf tuag at Harri – roedd yn hirach nag y disgwyliai – a chipio'r galon afal. Snwffiodd hi i ddechrau ac yna'i brathu yn ei hanner cyn ei llyncu. Edrychai'n siomedig nad oedd rhagor i'w gael. Chwiliodd yn awchus ar lin y dyn ac yn ei blew rhag ofn bod tamaid o'r afal ar ôl.

‘Ti deud diolch, Oci,’ meddai’r dyn, gan gydio yn llaw’r tsimpansî a’i dal allan tuag at Harri. ‘Deud “*grazie bene*”. Hi gorfod dysgu bod yn gwrtais. Ti cydio yn llaw hi rŵan, ’Arri. Hi dim ots. Hi ffrind i ti rŵan.’ Teimlai ei llaw fel lledr meddal, oer, a gafaelai’n dynn yn llaw gleisiog Harri, yn ddigon caled i’w frifo. Cafodd Harri ei synnu gan ei nerth. Cyn iddo sylweddoli’n iawn, na chael amser i deimlo’n bryderus, roedd y tsimpansî wedi neidio i’w gesail a swatio yno, ei braich o amgylch ei wddw. Anadlai i mewn i’w glust wrth dynnu’i gap oddi ar ei ben.

‘Mae hi wedi dwyn fy nghap i,’ meddai Harri, gan geisio rheoli’r ofn yn ei lais. Dan chwerthin, cododd y dyn a thynnu Oci oddi ar lin Harri. Rhoddodd gap Harri’n ôl iddo.

‘Hi licio chwarae gêm, dwyt, Oci?’ meddai. ‘Ti lleidr, lleidr drwg! Ti dim trin ffrind fel yna. Rŵan dos â fi adre, Oci; ni gorfod dal y bws. Mae ’da ni sioe heno, ti’n cofio?’

‘Sioe?’

‘Syrcas, syrcas Blondini. Ti ’di bod mewn syrcas erioed, ’Arri?’

‘Naddo,’ meddai Harri.

‘Felly ti dod, ie? Lot o anifeiliaid gynnon ni, fel Arch Noa. Ceffylau, cŵn, morlewod, eliffantod . . . a gynnon ni glowns. Lot ohonyn nhw. Ti’n licio’r clowns, ’Arri? Ond y peth gorau sgynnon ni ydi Oci – ti ’di’r seren, yntê Oci?’ Ymestynnodd y tsimpansî am gap Harri eto, ond gwyrodd Harri i’r ochr yn gelfydd. ‘Rhaid i ti dod, ie, *bambino*? Rydw i, Signor Blondini, yn gwahodd ti’n arbennig i syrcas fi, a dod â ffrindiau efo ti. Ti efo digon o ffrindiau, ie? Rhaid i mi fynd rŵan.' Pesychodd a churo'i frest. 'Fi dim yn licio niwl, fo'n drwg i fi. Dim yn hawdd gweld ynddo fo chwaith, ond dydi hynny dim ots i ni, nac ydi, Oci? Mae gynnon ni'n gilydd, ie? Ni'n ffeindio'n ffordd adre'n iawn. Yli, 'Arri, hi'n rhoi paced sigaréts hi i ti. Anrheg arbennig o'r bin sbwriel. Hi'n licio chdi. Hi'n licio pawb sy'n ffeind efo hi, anifeiliaid y syrcas i gyd, ond hi ddim yn licio cŵn. Fi dim yn gwbod pam, ond hi'n mynd yn wallgo wrth weld y cŵn.'

Cymerodd Harri'r pecyn sigaréts a gynigiwyd, a dal ei law allan yn araf. 'Diolch, Oci,' meddai. Ymestynnodd Oci a chyffwrdd ei law yn dyner. Yna arogleuodd fysedd Harri, gan syllu'n dreiddgar i'w lygaid nes gorfodi Harri i edrych draw.

'*Arrivederci, bambino,*' meddai Signor Blondini gan godi'i het. Gwelodd Harri bryd hynny fod ganddo wallt lliw arian. Roedd yn llawer hŷn nag oedd Harri wedi'i feddwl wrth glywed ei lais. '*Andiamo*, Oci, ty'd 'laen.' Cydiodd Oci yn ei law a cherddodd y ddau i ffwrdd gyda'i gilydd. Trodd y tsimpansî i edrych arno unwaith dros ei hysgwydd, a gwelodd Harri fod ganddi gerdyn sigaréts yn ei llaw. Yna llyncwyd y ddau gan fwrllwch y niwl. Edrychodd Harri i lawr ar y pecyn sigaréts yn ei law a'i agor. Roedd yn wag.

Pan gyrhaeddodd adref, roedd Dafydd a Nain Jenkins yn eistedd yn y gegin. Tynnodd Harri ei gôt. Roedd ei de – stwnsh corn bîff – yn aros amdano yn y popty. Hwnnw oedd ei gas fwyd, a dywedodd hynny'n uchel.

'Hen hogyn ffyslyd,' meddai Nain Jenkins. 'Yn troi dy

drwyn ar fwyd da. Wedi dy ddifetha, dyna'r drwg. Chei di ddim pwdin bara menyn nes i ti fwyta bob tamaid ohono fo.'

'Ga i weld Mam gynta?' gofynnodd.

'Mae'r doctor efo hi ar hyn o bryd, Harri,' meddai Dafydd. 'Gei di ei gweld hi'n nes ymlaen.'

'Dim ond eisio'i gweld hi ydw i.'

'Yn nes ymlaen,' meddai Dafydd eto, mewn llais pigog. 'Cha i, hyd yn oed, ddim mynd i fyny yna rŵan. Does neb yn cael mynd. Rŵan bwyta dy de fel mae Nain yn ei ddweud, dyna hogyn da.' Edrychodd Harri ar y naill a'r llall. Roedd rhywbeth o'i le, rhywbeth ofnadwy. I ddechrau, chafodd o dim pregeth am fod yn hwyr. Doedd neb wedi sylwi ar y rhwyg yn ei drowsus, a doedd Nain Jenkins heb ddweud wrtho am olchi'i ddwylo cyn bwyta'i de chwaith. Efallai fod hwn yn amser da i drosglwyddo llythyr Miss Prosser, meddyliodd.

'Mi ofynnodd yr athrawes i mi roi hwn i chi,' meddai, gan ei dynnu o'i boced a'i wthio ar draws y bwrdd tuag at Dafydd.

'Be ydi o?' gofynnodd Dafydd. Roedd cylchoedd tywyll, dwfn o dan ei lygaid, a'r rheiny'n edrych yn fawr drwy'i sbectol.

'Dim ond llythyr,' meddai Harri, yn codi'i ysgwyddau. Edrychodd Dafydd i lawr ar yr amlen heb ddangos unrhyw ddiddordeb ynddi.

'Bwyta di bob tamaid,' meddai Nain Jenkins gan guro'i dwylo. Bwytaodd Harri mewn tawelwch, gan edrych bob hyn a hyn i gyfeiriad Dafydd yn tynnu'i sbectol o hyd ac o hyd, ac yn rhwbio'i lygaid. Edrychodd wedyn ar Nain Jenkins oedd yn gweu'n brysur. Roedd hi wastad yn gweu, ei gweill yn clicio'n ddiddiwedd, ac weithiau'n cadw amser efo cloc y gegin.

Roedd Harri hanner ffordd drwy'i bwdin bara menyn pan glywodd leisiau'n dod o'r ystafell uwch eu pennau. Clywodd ddrws yn cau, a sŵn traed yn dod i lawr y grisiau.

Rhoddodd Nain Jenkins ei gweu i lawr. 'Aros di yma a gorffen dy de, a phaid ag anghofio dy sudd oren,' meddai wrth agor y drws i'r lobi ffrynt. Aeth Dafydd allan hefyd, gan gau'r drws ar ei ôl. Roedd y sibrwd yn y lobi ffrynt yn bryfoclyd o isel a bron yn rhy ddistaw i'w glywed. Sleifiodd Harri at y drws a rhoi ei glust at dwll y clo. Doedd o ddim yn clywed bryd hynny chwaith, felly sbeciodd drwy'r twll. Safai'r meddyg ar waelod y grisiau yn llewys ei grys a'i fresys. Gwrandawai Dafydd, ei ben yn isel, a nodiai Nain Jenkins gan edrych ar ei wats. Ymhen ychydig funudau trodd a cherdded tuag at ddrws y gegin. Sgrialodd Harri'n ôl at y bwrdd a llowcio gweddill ei bwdin bara menyn. Roedd y sibrwd yn uwch erbyn hyn, a llwyddodd i glywed y rhan fwyaf o'r sgwrs. Clywodd lais Dafydd yn dweud:

'Dim ots gen i be wnewch chi efo fo . . . dwi eisio iddo fo fynd allan o fan'ma . . . am gyn hired ag sy bosib.' Yna agorodd y drws a daeth Nain Jenkins i mewn ar ei phen ei hun.

'Ga i ei gweld hi rŵan?' gofynnodd Harri. 'Ydi hi'n iawn?'

'Mae gen i syrpréis i ti, ŵr ifanc,' meddai Nain

Jenkins. Byddai'n ei alw'n 'ŵr ifanc' yn aml, gan wneud i Harri deimlo'n hen iawn.

'Be?' gofynnodd Harri.

'Rwyt ti a fi'n mynd allan.'

'Pam?' gofynnodd Harri. Doedd hi erioed wedi mynd ag o i unman o'r blaen.

'Pam? Am fod gen i rywbeth i'w ddangos i ti.'

'Be?'

'Sut baset ti'n licio mynd i'r syrcas, ŵr ifanc? Mi welais i boster ar y ffordd adref o'r siop heddiw. Mae yno eliffantod, morlewod, clowns . . . Dydw i ddim wedi bod mewn syrcas ers dwn i'm pryd . . . ers cyn y rhyfel beth bynnag. Mae'n cychwyn am hanner awr wedi chwech. Gyrhaeddwn ni yno mewn chwarter awr os brysiwn ni.'

Wnaeth Harri ddim dadlau. Gwisgodd ei gôt a'i gap mewn fflach. Daeth Dafydd efo nhw at y drws. 'Paid â phoeni am dy fam, Harri,' meddai. 'Mi fydd hi'n iawn.'

Roedd Harri wrth ei fodd yn mynd ar fws, yn rasio i fyny'r grisiau i gyrraedd y top cyn i'r bws siglo ymlaen, a'r gloch yn tincial wrth i'r casglwr tocynnau alw, 'Cydiwch yn dynn, bawb'. Y sedd yn y tu blaen oedd ei ffefryn – gallai hongian ar y rheilen wen o'i flaen a llywio'r bws rownd y corneli. Doedd hi ddim yn daith bell, ond er mawr lawenydd i Harri cymerodd hydoedd yn y niwl. Gadawodd Nain Jenkins iddo roi'r arian i'r casglwr. Gwyliodd Harri'n eiddgar wrth i hwnnw gydio yn y tocynnau, eu tyllu a'u rhoi iddyn nhw. 'Gei di eu cadw nhw,' meddai Nain Jenkins. Roedd hi'n bod yn anarferol o garedig wrtho, a dechreuodd Harri ddyfalu pam; ond yn sydyn roedden nhw ar y palmant wedi'u dal yng nghanol tyrfa o bobl, yn cael eu gwthio 'mlaen tuag at babell enfawr. Roedd goleuadau lliwgar yn fflachio o'i chwmpas a miwsig byddarol yn taranu drwy gyrn sain. Aeth Nain Jenkins ag o at sedd yn y tu blaen wrth ochr y cylch a rhoi afal taffi iddo. Ceisiodd Harri frathu drwy'r taffi a methu – doedd o ddim yn gallu agor ei geg yn ddigon llydan.

Roedd yn dal i lyfu'r taffi pan ddiffoddwyd y goleuadau. Yn sydyn, tawelodd y gynulleidfa a dyrnodd y drymiau i uchafbwynt dramatig. Llifodd sbotolau i ganolbwyntio ar geffyl gwyn, ei wddw fel bwa, yn cerdded allan i ganol y cylch; y tu ôl iddo daeth un arall, ac un arall, ac un arall, ac un arall, nes bod modrwy o geffylau 'run ffunud â'i gilydd yn y cylch. Roedd Harri'n ddigon agos atynt i'w harogleuo wrth iddynt fynd heibio. Tasgodd llwch llif o'u carnau a glanio ar ei gôt. Teimlai Nain Jenkins eu bod yn rhy agos ati, felly daliodd ei hances boced at ei cheg a'i chadw yno drwy gydol y perfformiad. Yna daeth Meistr y Cylch allan, yn brasgamu yn ei gôt goch ddisglair, ysblennydd a'i het silc, a'i chwip yn ei law. Oedodd y ceffylau gan chwythu drwy'u ffroenau a throi i mewn tuag ato. Chwifiodd cynffon un ceffyl yn union o flaen wyneb Harri. Chwibanodd a chleciodd y corn siarad. 'Braint Signor Blondini heno ydi cyflwyno i chi ei syrcas deithiol fyd-enwog!' Seiniodd trwmpedau'n groch a chychwynnodd y sioe.

Gwelai Harri wyneb Meistr y Cylch. Roedd wedi disgwyl gweld Signor Blondini, ond nid y fo oedd o, roedd yn sicr o hynny. Roedd hwn yn rhy dal, yn rhy ifanc. Wrth i bob act fynd a dod, chwiliodd am Signor Blondini ac Oci, ond buan yr anghofiodd amdanynt wrth ymgolli ym mhopeth a welai, yn yr holl liw a'r sŵn. Roedd pobl yn gwneud campau ar gefn ceffyl, yn bwrw tin-dros-ben wrth farchogaeth, yn neidio o geffyl i geffyl. Morlewod yn lluchio peli o gynffon i drwyn ac yn eu chwyrlïo yn yr awyr. Eliffantod yn drybowndian o amgylch y cylch drwnc wrth gynffon, a chŵn yn dawnsio ar eu coesau ôl. Rhai'n jyglo, yn gwneud triciau ar gefn beic, yn bwyta tân . . . , a rhwng pob act, y clowns. Ni lwyddodd neb yn y rhes flaen i ddianc rhag eu dŵr sebonllyd nhw. Doedd neb wir eisiau ei osgoi – heblaw Nain Jenkins. Bob tro roedd clown yn dod yn agos efo'i fwced, ciliai'n ôl yn ei sedd. Mae hi'n smalio nad ydi hi yma, meddyliodd Harri.

Cafodd Harri sioc pan ymddangosodd Oci o'r diwedd. Roedd hi'n tywys clown a chanddo wyneb gwyn i ganol y cylch. Roedd Harri wedi cynhyrfu gymaint, bu bron iddo weiddi. Cydiodd y clown mewn ffidil oedd o dan ei gesail ac eistedd ar gadair wen. Pylodd y goleuadau, a dechreuodd chwarae alaw wylofus nes bod honno'n atseinio drwy'r babell. Tawelodd murmur a chwerthin y gynulleidfa ar unwaith. Eisteddai Oci wrth ei draed, yn chwilio drwy'r tywod ac yn bwyta beth bynnag oedd ar gael yno, tra chwaraeai'r clown ei ffidil. Edrychai'n drist a thruenus allan yno yng nghanol y cylch, yn anghydnaws rhywsut â'r syrcas rwysgfawr. Yn wahanol i'r clowns eraill, doedd ganddo fo ddim trowsus llac, bresys coch, esgidiau anferth na wyneb wedi'i beintio'n afluniaidd. Yn hytrach, gwisgai sanau pen-glin coch a gwisg ddu, a honno'n loÿnnod byw mawr melyn a choch drosti. Wrth iddo chwarae 'Gwŷr Harlech,' ymunodd y gynulleidfa'n dawel – rhai'n hymian, rhai'n canu'r geiriau, ond byth yn rhy uchel. Yna, yn sydyn, cryfhaodd y goleuadau a daeth y criw o glowns yn ôl, a chasglu o amgylch y clown glöyn byw wrth iddo chwarae, ond ni chymerodd iot o sylw ohonynt. Neidiai'r criw yn wirion o'i amgylch, gan ddawnsio'r walts a'r polka, a baglu ar draws ei gilydd, ond anwybyddodd y clown glöyn byw nhw i gyd a dal ati i chwarae. Cydiodd pob clown yn ei fwced, ac roedden nhw ar fin eu gwagio dros y clown glöyn byw, gan droi at y gynulleidfa fel petai i ofyn a ddylen nhw wneud hyn ai peidio. 'Na! Na!' gwaeddodd pawb, wrth i'r ffidil ddal i chwarae – alaw newydd erbyn hyn, mewn amseriad gwahanol, yn gyflymach ac yn fwy rhythmig. Yn sydyn roedd Oci ar ei thraed yn curo'i dwylo. Fferrodd pob clown yn ei unfan, yna cododd y clown glöyn byw a dechrau siglo'i gorff i'r miwsig wrth iddo chwarae'r ffidil. Dilynodd y clowns eraill ei symudiadau, ond heb ei wawdio bellach. Roedden nhw'n ymgolli yn y miwsig, yn cael eu swyno ganddo. Ar ôl munud neu ddau rhoddodd y clown glöyn byw y gorau i chwarae, a gosod y ffidil ar y gadair y tu ôl iddo. Edrychodd ar y gynulleidfa'n chwerthin, pwyntio at y clowns oedd yn dal i siglo, a rhoi ei fys ar ei wefusau i dawelu pawb. Yna tynnodd amryw o beli gwyrdd o'i bocedi a dechrau jyglo'n fedrus. Gwnaeth y clowns eraill yr un peth – hwythau'n rhoi eu dwylo yn eu pocedi ac estyn amryw o beli bach gwyrdd a dechrau jyglo, gan luchio'r peli'n uwch ac yn uwch ac wedyn yn is ac yn is, yn cadw amser yn berffaith gyda'r clown glöyn byw. Pan oedd hwnnw wedi gorffen, rhoddodd y peli'n ôl yn ei boced, ond gadawodd un yn ei geg. A dyna'r clowns, wedi'u mesmereiddo, yn gwneud yr un peth. Hon oedd yr act gyntaf, a'r unig un, roedd Nain Jenkins fel petai wedi'i mwynhau, a chwarddodd yn uchel – chwerthiniad na chlywodd Harri mohoni erioed o'r blaen. Beth bynnag a wnâi'r clown glöyn byw, roedd yn rhaid i'r clowns eraill ei wneud hefyd. Fedren nhw ddim peidio. Os oedd o'n crafu'i drwyn, roedden nhw'n gwneud hynny. Os oedd o'n dylyfu gên, roedden nhw'n ei ddynwared. Roedd y gynulleidfa'n sgrechian chwerthin, yn crefu am ragor, yn dyheu am i'r clowns gael eu cosbi ganddo. Plygodd y clown glöyn byw i lawr a sibrwd yng nghlust Oci; rhedodd hithau i ffwrdd i nôl bwced, un goch gyda'r gair SLWTSH mewn llythrennau breision ar ei hochr. Llusgodd hi'n ôl a'i gadael wrth draed y clown glöyn byw. Plygodd yntau i sibrwd rhywbeth yn ei chlust, a churodd hithau'i dwylo'n frwdfrydig cyn mynd yn ôl i eistedd ar y llawr. Dilynai'r clowns eraill bob symudiad a wnâi'r clown glöyn byw, yn plygu i lawr ac yn sibrwd wrth ryw dsimpansîs oedd ddim yno, ac estyn eu bwcedi cochion gyda'r gair SLWTSH arnynt. A phan gododd y clown glöyn byw y fwced gafodd gan Oci, wrth gwrs roedd y clowniaid yn codi'u bwcedi hwythau hefyd. Gan wenu'n braf, dangosodd y clown glöyn byw i'r gynulleidfa fod ei fwced o'n wag. Trodd i bob cyfeiriad er mwyn i bawb allu gweld. Gwyddai pawb rŵan beth roedd yn bwriadu'i wneud ac roedden nhw'n ei annog. 'Ie! Ie!' gwaeddai pawb. 'Ie! Ie!' Doedd dim angen llawer o berswâd ar y clown, ond cymerodd arno fod arno angen rhagor nes bod y gynulleidfa wedi mynnu'n ddigon uchel ac yn ddigon hir. Yn fodlon o'r diwedd mai dyna roedden nhw eisiau iddo'i wneud, cododd y fwced i fyny uwch ei ben a'i throi wyneb i waered; dyna wnaeth y clowns o'i gwmpas hefyd, gan orchuddio'u hunain â slwtsh gwyn, a hwnnw'n glafoerio dros eu pennau ac i lawr eu hysgwyddau. Wrth i'r clowns sychu'u hwynebau, rhuai'r gynulleidfa'n fodlon. Roedden nhw'n curo'u traed a'u dwylo, a Harri'n uwch na neb. Curodd Oci ei dwylo efo pawb arall, cyn iddi dywys y clown glöyn byw yn fuddugoliaethus o amgylch cylch y syrcas.

Wrth i Oci fynd heibio, galwodd Harri arni droeon, ond er mawr siom iddo wnaeth Oci ddim troi i edrych arno. Syllodd Harri i fyny ar wyneb y clown glöyn byw gan geisio dal ei lygaid, ond roedd o fel petai'n edrych i'r pellter, bron mewn perlewyg. Chwifiodd Harri arno, ond ni chwifiodd yn ôl. Roedd y dyn a eisteddai wrth ochr Harri yn gweiddi wrth guro dwylo, 'Fo ydi o! Mistar Neb! Dwi'n siŵr mai fo ydi o!'

'Beth ddwedsoch chi?' holodd Nain Jenkins dros ben Harri.

Gwaeddai'r dyn yn uwch, gan guro'i ddwylo drwy'r adeg a phwyntio. 'Fo, y clown 'na, Mistar Neb ydi o. Welais i o'n gneud yr un peth yn union cyn y rhyfel. Mae Mistar Neb yn enwog.'

'Sut gwyddoch chi mai fo ydi o?' gofynnodd Harri.

'Digon hawdd deud efo clown, 'ngwas i. Maen nhw i gyd yn gwisgo dillad gwahanol, a cholur gwahanol. Pob un â'i stamp ei hun. Does 'na 'run dau glown byth 'run fath. Fo ydi o. Mi wn i'n iawn. Does neb arall tebyg iddo fo.'

Trodd cylchdro'r enillydd yn orymdaith fawr – yn ddiweddglo. Ymunodd y ceffylau, yr eliffantod, yr acrobatiaid a'r cŵn yn yr hwyl; roedd y clowns i gyd yn dal i grafu'r stwff gwyn oddi ar eu hwynebau ac yn ei luchio at y gynulleidfa neu at ei gilydd. Ar y tu blaen cydiai Oci yn llaw Mistar Neb gan ei dywys o amgylch y cylch. Wrth iddyn nhw ddod heibio eto, galwodd y dyn wrth ochr Harri, 'Fo ydi o. Dwi'n siŵr. Dyna Mistar Neb.' Plygodd ymlaen ac ymestyn ei wddw, 'Chi *ydach* chi, yntê, Mistar Neb?' Clywodd y clown glöyn byw, gwenu a nodio, ond prin y trodd ei ben at y dyn. Yna baglodd yn y llwch llif a gorfod cydio yn ymyl y cylch i sadio'i hun, ei law ar y rheilen yn union o flaen sedd Harri. Roedd ei wallt yn denau ar ei gorun, yn hir ac yn drwchus ac yn goch o gwmpas ei glustiau, ond roedd y gwallt ar ei ben ac i lawr ei wddw'n glaerwyn. Roedd ei wefusau coch trawiadol yr un lliw â'i wallt, ac wedi'u peintio lle doedd dim gwefusau, ond edrychai'r ddau fan geni bach du uwchben ei geg ac oddi tani fel rhai go iawn. Wrth i Harri edrych arnyn nhw, cyfarfu eu llygaid am eiliad a gallai Harri weld pam roedd o wedi baglu. Roedd llygaid Mistar Neb yn llawn breuddwydion. Roedd o fel dyn yn cerdded yn ei gwsg. Ac yna roedd o wedi mynd, yr hud wedi chwalu, yr orymdaith ar ben a phawb yn mynd allan.

Roedd rhes hir o bobl yn aros am y bws, ac Emyr Griffith yn eu plith. 'Toedd o'n wych?' meddai a nodiodd Harri. 'Dwyt ti ddim yn hoffi'r afal taffi?' holodd. Tan hynny doedd Harri ddim hyd yn oed yn cofio ei fod yn dal ganddo. Roedd y taffi gludiog wedi toddi a rhedeg i lawr at ei arddwrn. Dechreuodd lyfu'i fysedd.

'Ydi hi'n dal i frifo?' gofynnodd Emyr Griffith.

'Be?' meddai Harri, yn gwybod yn iawn beth oedd o'n ei feddwl, ond doedd o ddim eisiau i Nain Jenkins ddeall.

'Dy law di,' meddai Emyr Griffith, yn fwriadol uchel.

'Be sy wedi digwydd i dy law di?' holodd Nain Jenkins.

'Syrthio wnes i,' atebodd Harri, 'yn yr iard. Ond dwi'n iawn rŵan.' Edrychodd yn ddu ar Emyr, oedd ar fin dadlau ag o, ond caeodd ei geg mewn pryd i osgoi cael cic ar ei ffêr.

Bu raid iddyn nhw aros yn hir yn yr oerni am y bws. Stampiai Nain Jenkins ei thraed ar y palmant a chwyno am y bysiau; pan gyrhaeddodd eu bws nhw o'r diwedd cwynodd wrth y casglwr arian na ddylen nhw gadw pobl yn aros ar noson mor oer, a'i bod hi ar frys i fynd adref. Winciodd y dyn ar Harri a dweud bod yn ddrwg ganddo ond fedrai o wneud fawr ddim ynghylch y niwl, ac roedd hynny fel petai'n cau ceg Nain Jenkins am ychydig bach. Edrychai ar ei wats yn gyson, gan ysgwyd ei phen a thwt-twtian yr holl ffordd adref.

Cyfarfu Dafydd nhw wrth y drws yn wên o glust i

glust. 'Mae gen i fab,' meddai, a chofleidio Nain Jenkins. Dechreuodd hithau grio.

'Ga i weld Mam?' holodd Harri.

'Ac mae gen ti frawd bach, Harri,' meddai Dafydd. 'Be wyt ti'n feddwl o hynny?' Doedd Harri ddim eisiau na brawd na chwaer, ond petai o wedi gorfod dewis byddai'n well ganddo fo gael chwaer.

'Ga i 'i gweld hi?'

'Cei siŵr,' meddai Dafydd. 'Dim ond am funud bach. Rhaid i ni beidio'i blino hi, meddai'r doctor. Mae hi wedi cael amser go arw, 'sti Harri. Roedden ni i gyd yn poeni'n ofnadwy amdani hi.'

Pwysai mam Harri'n ôl ar ei gobenyddion, ei gwallt golau o'i chwmpas fel cylch aur, meddyliodd Harri. Gwenodd yn wantan ar Harri wrth iddo nesáu. Roedd crud wrth erchwyn y gwely. Gafaelodd ei fam yn Harri, a'i gusanu.

'Gest ti amser da, 'ngwas i?' gofynnodd. 'Roedd Daf yn dweud bod Nain Jenkins wedi mynd â chdi i'r syrcas.' Syllodd Harri i lawr ar y babi yn y crud. Welai o ddim byd ond wyneb pinc, crebachlyd ac un dwrn bach wedi'i gau'n dynn. Roedd ganddo rywfaint o wallt tywyll, a hwnnw braidd yn damp. Roedd y gweddill ohono wedi'i guddio o dan y blancedi a Nain Jenkins wrth ei ochr rŵan, yn plygu dros y crud, yn sychu'i llygaid efo hances. 'Tydi o'n hen gariad bach,' meddai hi. 'Mae o'n debyg iawn i Dafydd pan gafodd o ei eni. Yr un ffunud.'

'Be wyt ti'n feddwl ohono fo, Harri?' gofynnodd ei fam. 'Yr hogyn bach deliaf welaist ti erioed, yntê?' Wyddai Harri ddim beth i'w ddweud, oherwydd yn sicr doedd o ddim yn ddel, ond doedd o ddim eisiau gorfod dweud hynny wrth ei fam. Felly ddywedodd o 'run gair.

'Rydan ni'n bwriadu'i alw fo'n Tomos,' meddai Dafydd, 'ar ôl fy nhad i. Mae'r enw'n gweddu iddo fo, yn tydi?'

'O, dewis ardderchog,' meddai Nain Jenkins a dechrau crio eto.

Aeth Harri draw at y gwely ac eistedd ar yr erchwyn wrth ochr ei fam. 'Ydach chi'n teimlo'n well rŵan, Mam?' gofynnodd.

'Mi fydda i'n iawn, pwt,' meddai, yna edrychodd yn bryderus yn sydyn. 'O, byddwch yn ofalus efo fo!' llefodd. Roedd Nain Jenkins wedi codi'r babi ac wrthi'n ei fagu yn ei breichiau.

'Paid ti â phoeni, 'mechan i,' chwarddodd yn uchel, ei bys cam yn mwytho gên y babi. 'Cofia mod i wedi gwneud hyn o'r blaen! Dwi wedi hen arfer. Mae gwaed y teulu Jenkins i'w weld yn blaen ynddo fo. Talcen lydan. Arwydd o ddeallusrwydd.'

'Rhowch o'n ôl yn ei grud, Nain,' crefodd mam Harri, ei llygaid yn llawn dagrau. 'Os gwelwch yn dda.' Edrychodd Dafydd a Nain Jenkins ar ei gilydd.

'Rwyt ti wedi blino, cariad,' meddai Dafydd, gan gymryd y babi oddi ar Nain Jenkins a'i roi'n ôl yn y crud. 'Well i ti fynd rŵan, Harri. Rho sws nos da i dy fam ac wedyn i ffwrdd â chdi i'r gwely. Mae'n ddigon hwyr yn barod, a rhaid i ti fynd i'r ysgol eto fory.' Roedd Harri eisiau aros efo'i fam, a gwyddai mai dyna fyddai hi wedi'i hoffi, ond fyddai hi byth yn cyfaddef hynny chwaith.

Doedd hi byth yn ei gefnogi y dyddiau yma. 'Well i ti fynd, pwt,' meddai hi wrtho. 'Wela i di fory.'

Gorweddai Harri ar ei wely. Ddaeth neb i ddweud nos da wrtho, ond roedd rhywun wedi diffodd golau'r landin gan ei adael mewn tywyllwch. Roedden nhw'n gwybod yn iawn ei fod yn hoffi cael rhywfaint o olau. Ond roedd yn rhyddhad nad oedd ei ddymuniadau gwaethaf wedi'u gwireddu. Doedd o ddim eisiau i'r babi farw go iawn, dim ond i beidio â dod, dyna'r cyfan; ond gan nad oedd y babi wedi marw, gan ei fod wedi'i eni, fyddai dim rhaid iddo gyffesu ei feddyliau drwg wrth y Tad Murphy. Dywedodd ei bader ar ei gefn yn y gwely. Gwyddai na ddylai, ond roedd yn rhy oer i godi. Gweddïodd dros y bobl arferol, gan gynnwys Tomos bach hefyd am ei fod yn meddwl y dylai. Gweddïodd yn arbennig y noson honno dros Signor Blondini ac Oci a thros Mistar Neb, y clown glöyn byw, ond weddïodd o ddim dros Miss Prosser – yn bendant ddim dros Miss Prosser.

PENNOD TRI

Ar ôl i Tomos bach gael ei eni, roedd y sefyllfa gartref yn waeth i Harri – yn llawer gwaeth. O'r blaen, gallai ddibynnu ar ei fam i gadw'i ran pan oedd o mewn helynt efo Dafydd neu Nain Jenkins, ond erbyn hyn roedd hi wedi ymgolli'n gyfan gwbl yn y babi, ac ychydig iawn o amser oedd ganddi ar gyfer Harri. Roedd Harri eisiau sôn wrthi am Signor Blondini, am y syrcas, am Oci a Mistar Neb, ond doedd ganddi hi byth amser i wrando. Roedd hi wastad yn rhy brysur. Byddai Tomos angen ei fwydo neu ei ymolchi neu ei newid. Roedd clytiau'n aros i gael eu golchi. 'Gei di afael yn Tomos os wyt ti eisio.' Dyna fyddai hi'n ei ddweud, ond heb hyd yn oed edrych arno. 'Mae o'n frawd i ti, wedi'r cwbl. Wyt ti eisiau gafael ynddo fo?' Ond doedd Harri ddim eisiau dim byd i'w wneud efo Tomos bach, neu 'Tomi' fel roedden nhw'n ei alw erbyn hyn.

Ond doedd pethau ddim yn ddrwg i gyd. O leiaf doedd Nain Jenkins ddim yn pregethu'n ddi-stop am gwrteisi na glendid, a doedd Dafydd byth yn ei holi'n dwll am ei farciau yn yr ysgol bellach. Doedd neb fel petai ganddyn nhw fawr o ddiddordeb ynddo erbyn hyn. Ac roedd un fantais fawr i hynny. Gallai Harri dreulio oriau hir yn ei loches heb i neb ei golli o gwbl.

Erbyn hyn, roedd wedi hen arfer mynd i'r lloches heb i neb ei weld. Y ffordd gyflymaf a mwyaf diogel oedd drwy'r ystafell yn y seler. Hongiai'r allwedd i'r seler ar hoelen mewn cwpwrdd yn y twll dan y grisiau. Doedd dim byd ar ôl yn y seler heblaw ychydig o hen garpedi a matresi, ac ambell hen gist. Hen le annifyr, tamp oedd o ar y gorau, ond yn y gaeaf roedd yn waeth fyth. Deuai'r unig olau drwy ffenest fach fudr a edrychai allan ar yr un lefel â lawnt yr ardd gefn.

Flwyddyn yn ôl bellach roedd Harri wedi cynnau tân yn y grât i gael gweld a oedd y simnai'n gweithio. Ar y dechrau roedd y mwg wedi llifo'n donnau allan i'r ystafell, ond yna dechreuodd gael ei dynnu'n ôl i fyny'r simnai. Wrth chwilio'n fanylach, darganfu Harri nad oedd y mwg yn mynd i fyny'r simnai o gwbl, ond yn hytrach yn diflannu trwy dwll rhwng y gwaith brics yng nghefn y lle tân. Roedd yn ddigon hawdd dringo drwyddo. Roedd ganddo syniad eithaf da beth a welai yr ochr arall.

Roedd y ddau dŷ agosaf at ei gartref wedi cael eu bomio yn y rhyfel. Doedd Harri ddim gartref ar y pryd. Ar ddechrau'r rhyfel, roedd ei fam wedi mynd â fo i gefn gwlad i ddianc rhag y bomiau, ond doedd gan Harri fawr o gof am hynny. Ond cofiai fod bwlch mawr lle bu'r tai pan ddaethon nhw'n ôl, a dau ddarn anferth o bren yn cynnal eu tŷ nhw. Roedd Harri'n aml wedi sbecian drwy'r ffens o'r stryd ar anialwch y tir wedi'i fomio – yn gwylio'r gloÿnnod byw ar y danadl poethion, a'r colomennod yn nythu yn adfeilion y waliau – ond yn union fel y safle ger yr ysgol doedd neb yn cael mynd i mewn. Roedd arwydd mewn llythrennau coch: PERYGL. CADWCH DRAW. CERRIG RHYDD; ac roedd o wedi cadw'n ddigon clir tan y diwrnod y daeth o hyd i dwll yn y wal frics yng nghefn y simnai.

Unwaith y cyrhaeddodd y safle, roedd Harri mewn rhan o seler arall, debyg i'w seler nhw, ond bod y rhan fwyaf ohoni'n agored i'r awyr – heblaw'r rhan dros y lle tân lle roedd darn o'r nenfwd yn dal ar ôl. Dyna lle roedd Harri wedi gwneud ei loches, ac oddi yno gallai ddringo allan i chwilio'r safle a thu hwnt. Doedd fiw iddo fynd at y ffordd rhag ofn i rywun ei weld, ond doedd neb o'r byd tu allan yn sylwi o gwbl arno'n chwarae ymysg y tyfiant gwyllt a'r rwbel.

Dodrefnodd ei loches â phethau roedd o wedi'u casglu o'r safle. Dwy gadair freichiau heb goesau, cist ddroriau a dim ond un ddrôr ar ôl ynddi, drych i'w roi ar y silff ben tân, hen garped roedd o wedi'i lusgo trwy'r twll o seler ei gartref, bwrdd, ac amryw o gwpanau a phlatiau a chyllyll a ffyrc. Arferai fynd allan o'i loches trwy ddringo i fyny pentwr o rwbel, ond roedd o wedi symud hwnnw. Bellach, os oedd am chwilota o gwmpas y tir wedi'i fomio, byddai'n defnyddio hen ysgol bren – ond pur anaml y byddai'n mentro allan o'i loches erbyn hyn. Roedd hi'n union fel roedd o eisiau iddi fod ac roedd yn gartref iddo. Gallai eistedd yn ei deyrnas ym mhob tywydd a gwneud beth bynnag a fynnai, a doedd neb ar wyneb y ddaear yn gwybod ble roedd o. Doedd o ddim hyd yn oed wedi sôn am y lle wrth y Tad Murphy.

Cadwai ei gasgliadau o gardiau sigaréts mewn bocsys tun yn nrôr y bwrdd, ynghyd â'i farblis a'i stôr o goncars. Yn uchel i fyny yn y wal, mor uchel fel bod raid iddo sefyll ar y bwrdd i'w gyrraedd, cadwai ei arian mewn bocs pensiliau wedi'i guddio mewn cilfach y tu ôl i fricsen – darnau ffyrling, dimai, casgliad go lew o geiniogau, darnau tair ceiniog, a hyd yn oed swllt neu ddau. Arian poced roedd o wedi'i gynilo oedd peth ohono, a'r gweddill yn ddarnau arian y daeth o hyd iddyn nhw o bryd i'w gilydd yma ac acw ar y safle. Ar y silff ben tân o dan y drych roedd llun mewn ffrâm o'i dad yn gwenu ac yn sefyll wrth ymyl ei awyren – y llun yr arferai ei fam ei gadw ar y silff ben tân yn yr ystafell fyw. Ond yn y lle pwysicaf uwchben y drych, hongiai medal ei dad. Y fedal oedd ei drysor pennaf. Rhwbiai hi bron bob dydd, nid yn unig am ei fod yn awyddus i'r arian sgleinio, ond am ei fod yn hoffi cydio ynddi a'i thrin, gan deimlo'r rhuban rhesog porffor a gwyn a'r pwysau trwm yng nghledr ei law. *Am Ddewrder* oedd y geiriau ar y cefn, ac ar y tu blaen roedd llun o ben y brenin. Meddyliai Harri bob amser fod y brenin yn edrych yn eithaf tebyg i'w dad, ond heb y mwstásh.

Sleifiai Harri i'w loches cyn amled ag y gallai – os nad oedd o yn yr ysgol, nac yn canu yn y côr. Âi yno bron bob nos, er ei bod yn tywyllu'n rhy gynnar yn y gaeaf iddo allu aros yno'n hir iawn. Roedd un o'r cistiau tun o'r seler yn cuddio'r twll, a defnyddiai honno fel drws. Bob tro y byddai'n mynd oddi yno, gwthiai hi yn erbyn y twll, dringo i fyny grisiau'r seler ac ailymddangos yn y tŷ. Os gofynnai Dafydd iddo lle roedd o wedi bod, atebai ei fod allan yn chwarae. Weithiau, doedd dim angen iddo ddweud celwydd.

Ers i Tomi gael ei eni, roedd mynd i mewn ac allan o'i loches yn haws nag erioed. Roedd yn rhaid iddo fod yn ofalus o hyd, wrth gwrs, yn arbennig wrth ddringo'n ôl. Byddai wastad yn aros am funud neu ddau ac yn sbecian trwy dwll y clo cyn agor y drws a sleifio allan. Unwaith neu ddwy roedd wedi cael ei ddal yn rhoi'r allwedd yn ôl yn y cwpwrdd, ond roedd wedi llwyddo i feddwl am esgus da bob tro.

Roedd Tomi'n enwog ym mhobman, yn ôl pob golwg. Gweddïodd y Tad Murphy drosto yn yr Offeren. Y Tad Murphy oedd yr unig un a wnâi i Harri deimlo'n well ynghylch popeth. 'Dyna lwcus ydi dy fam,' meddai wrtho ar ôl yr Offeren un dydd Sul. 'Yn cael bachgen braf arall, yn union fel ti. Ychydig flynyddoedd eto ac fe ddaw yntau i ganu yn y côr.' Er gwaethaf ei bregethau hir, annealladwy, y Tad Murphy oedd unig ffrind cyson Harri.

Roedd pethau'n wahanol yn yr ysgol, a Miss Prosser yn troi Tomi'n arf i'w ddefnyddio yn erbyn Harri. Byddai'n dweud jôcs yn aml. Mae'n rhaid mai jôcs oedden nhw, oherwydd roedd y rhan fwyaf o'r plant yn chwerthin. 'Gobeithio'n wir na fydd Tomi'n tyfu i fyny i fod fel Harri,' meddai un tro. Bryd arall, dywedodd, 'O leiaf bydd gan eich mam un plentyn y gall hi ymfalchïo ynddo.' Doedd Harri ddim yn disgwyl dim byd gwell gan Miss Prosser, felly doedd o ddim yn cynhyrfu rhyw lawer.

Roedd dwy ffordd i fynd adref o'r ysgol – y ffordd fer ar draws y briffordd, neu'r ffordd hir drwy'r parc. Roedd yn well gan Harri fynd drwy'r parc, a chan nad oedd Nain Jenkins fel petai'n edrych ar ei wats bellach pan ddeuai i mewn i gael te, bu'n mynd y ffordd honno'n amlach yn ddiweddar. Yn aml, wrth fynd heibio'r fainc wrth ymyl y pwll hwyaid, byddai'n meddwl am Signor Blondini ac Oci heb ddisgwyl eu gweld byth eto. Yna, un pnawn a hithau'n tywyllu'n gyflym, cerddodd heibio iddyn nhw heb sylweddoli eu bod yno. Ni fyddai wedi'u gweld o gwbl oni bai bod Oci wedi galw arno, a'i hwtian isel, tawel yn troi'n gyflym yn sgrechian cyffrous.

'Be sy'n bod arnat ti, Oci?' gofynnodd Signor Blondini.

'Helô,' meddai Harri.

'O, ti sy 'na. Y *bambino*. Peth rhyfedd, *bambino*, ond dwi'n meddwl Oci gwybod ti dod eto un diwrnod. Fi meddwl hi eisio cyfarfod ti eto. Bob dydd ni'n mynd am dro drwy'r parc, a bob dydd ers ni cyfarfod hi'n aros bob amser wrth y fainc ac yn edrych ffordd hyn a ffordd arall fel petai'n chwilio am ti.'

'Ella mai hoffi'r bin sbwriel mae hi,' meddai Harri. Roedd yn amlwg o'r llanast o gwmpas y fainc fod Oci wedi bod yn chwilota ynddo. Roedd Oci wrthi'n rhoi ei llaw i mewn ac allan o baced creision ac yn llyfu'i bysedd.

'Na, digon o finiau sbwriel ym mhobman,' meddai Signor Blondini gan daro'i ben yn ysgafn. 'Tsimpansî yn cofio'n well na ti, yn well na fi. Hi cofio, a hi chwilio am ti bob tro ni'n dod yma. Ti dod i'r syrcas, *bambino*?'

'Fues i rai wythnosau'n ôl,' atebodd Harri. 'Ond welais i mohonoch chi yno.'

'Fi?' meddai Signor Blondini. 'Fi rhy hen dyddiau yma. Fi ydi bòs. Fi ond cyfri arian a mynd â Oci am dro bob dydd. Hi ddim licio cael cau i mewn drwy'r adeg. Be ti'n licio orau? Morlewod neu eliffantod?'

'Mistar Neb,' meddai Harri. 'Ro'n i'n ei hoffi o'n chwarae'r ffidil pan wagiodd y clowns y bwcedi dros eu pennau eu hunain. Roedd hynny'n dda.'

'Sut ti'n gwybod ei enw?' holodd Signor Blondini'n syn.

'Dyn yn eistedd wrth f'ymyl i oedd yn dweud ei fod wedi gweld Mistar Neb o'r blaen. Yn dweud ei fod yn enwog.'

'Yn wir,' meddai Signor Blondini. 'Mistar Neb oedd clown gorau yn syrcas fi erstalwm.' Roedd Oci ar ei thraed erbyn hyn ac yn tynnu ar gôt Harri. Gwyddai Harri ar unwaith beth roedd hi'i eisiau a rhoddodd ei gap iddi. Roedd hi fel petai'n gwybod yn syth beth i'w wneud efo fo gan iddi ei roi ar gefn ei phen, eistedd i lawr eto, a dal ati gyda'i phecyn creision gwag, yn brysur yn ei rwygo'n ddarnau, ac yn llyfu pob briwsionyn. Rhoddodd Signor Blondini ei fraich amdani. 'Ond hon,' meddai, 'ydi clown gorau ni rŵan. Ty'd, *bambino*, eistedd i lawr.' Eisteddodd Harri wrth ei ymyl ar y fainc. 'Pan o'n i dy oed di, *bambino* – faint wyt ti, y? Naw, ella?'

'Deg,' meddai Harri.

'Deg, ie? Fi tua deg a syrcas yn dod i pentre fi yn yr Eidal. A ti gwybod be fi gneud? Rhedeg i ffwrdd. Ti eisio gwybod be digwyddodd i mi?' Arhosodd o ddim am ateb. Dringodd Oci dros Signor Blondini i eistedd ar lin Harri. Er bod Harri braidd yn bryderus i ddechrau, teimlai fel petai'n cael ei anrhydeddu ac roedd wedi'i blesio bod y tsimpansî'n ymddiried ynddo.

Sylweddolodd Harri'n fuan nad oedd Signor Blondini'n ddyn gwylaidd. Fo, yn ei ddydd, meddai fo, oedd y perfformiwr trapîs gorau drwy'r Eidal gyfan, efallai drwy'r holl fyd. Roedd wedi teithio i America, Sbaen a Ffrainc, a phawb oedd yn hoff o'r syrcas yn mynd i weld y Blondini enwog. Ac roedd y merched yn ei hoffi ac yntau'n eu hoffi nhw – dipyn bach gormod, efallai. Mae'n anodd dewis yn ddoeth pan fo cymaint o ddewis, meddai fo. Gwnaeth y dewis anghywir. Priododd ferch perchennog y syrcas, ac ymhen ychydig flynyddoedd fo oedd biau'r syrcas. 'Hynny dim mor ddrwg. Dim ond un broblem,' ychwanegodd. 'Fi licio syrcas fwy na fi licio gwraig, a hi licio dyn dofi llewod fwy na fi. Felly hi rhedeg i ffwrdd efo dyn llewod a gadael fi efo'r syrcas. Felly dyna sut fi cael syrcas. Dyna hanes bywyd Blondini.'

Drwy gydol y stori roedd Oci wedi bod yn archwilio wyneb Harri'n agos, yn sniffio'i drwyn a'i glustiau, yn chwilio drwy'i wallt â'i bysedd – am beth, wyddai Harri ddim. Yna byddai'n setlo ac eistedd ar ei lin eto. Ffieiddiodd Harri wrth weld nad pobl yn unig oedd yn pigo'u trwynau. Yn y diwedd, daeth ci i dorri ar eu traws. Rhedodd daeargi bychan ffyrnig atyn nhw'n chwyrnu ac ysgyrnygu. Neidiodd Oci oddi ar lin Harri gan sgrechian, a hongian ar wddw Signor Blondini. Cyfarthai'r daeargi'n wyllt, ei gorff bychan main yn ysgwyd gyda phob cyfarthiad nes cyrhaeddodd ei berchennog syn, ei roi ar dennyn a'i lusgo oddi yno. Roedd Oci'n gyndyn iawn o gerdded ar ôl hynny, ond tawelodd Signor Blondini hi. '*Va bene*,' meddai, '*va bene*,' gan fwytho'i phen y tu ôl i'w chlustiau. Toc gosododd hi ar ei thraed a chydio yn ei llaw. '*Va bene*, Oci. *Va bene*,' meddai. 'Ti mynd â fi adref rŵan, y?' Trodd at Harri. 'Ti teimlo eisio rhedeg i ffwrdd weithiau, *bambino*?'

'Ydw,' meddai Harri.

'Wel, gwranda di ar Signor Blondini – paid. Dim gwerth o. Dim ond lot o drwbwl. Fi deud wrthat ti. Fi heb deulu. Fi heb gael addysg. Hynny da i ddim. Ond pan ti hŷn a ti wedi cael addysg, yna ty'd ti i weld Blondini a fo rhoi job yn y syrcas os ti'n licio hynny. Iawn? Deud ti *arrivederci* wrth y *bambino*, Oci.' Ond roedd Oci'n dal i boeni am y ci. Bron iddi lusgo Signor Blondini ar ei hôl, gan edrych dros ei hysgwydd drwy'r adeg. Gwyliodd Harri nhw nes eu bod wedi diflannu o'r golwg yn y gwyll.

Pan gyrhaeddodd adref roedd yna helynt – helynt mawr. Roedd llais Nain Jenkins yn llawn dicter wrth osod ei de o'i flaen. 'Bydd gan Dafydd air neu ddau i'w ddweud wrthot ti pan ddaw o adre, ŵr ifanc.' Eisteddai'i fam yn y gadair wrth ymyl y stôf yn bwydo Tomos. Cyfarfu eu llygaid. Fedrai hi wneud dim byd i'w helpu, deallai gymaint â hynny. Doedd neb am ddweud beth oedd yn bod, ond roedd Harri'n ofni eu bod wedi dod o hyd i'w loches – gweddïodd yn daer uwchben ei ffa pob nad dyna oedd y broblem. Fu dim rhaid iddo aros yn hir cyn cael gwybod. Prin roedd Dafydd wedi tynnu'i gôt cyn iddo ddechrau pregethu.

'Rŵan gwranda di arna i, Harri,' meddai. 'Dwi wedi cael llond bol arnat ti.'

'Paid â gweiddi, Dafydd,' meddai mam Harri. 'Mae Tomi'n bwydo. Rwyt ti'n ei gynhyrfu fo.'

Ond ni chymerodd Dafydd bwt o sylw ohoni. Roedd o'i go'n las, ei lais yn codi'n uwch ac yn uwch. Eisteddai Nain Jenkins wrth y bwrdd yn gweu ac yn nodio ar ddiwedd pob brawddeg.

'Os oes 'na un peth na fedra i mo'i ddioddef, anonestrwydd, twyll ydi hynny. A nid dyma'r tro cyntaf, nage?'

Roedd Harri'n dal i geisio dyfalu am beth roedd Dafydd yn sôn – gallasai fod yn unrhyw un o nifer o bethau. Y lloches, efallai. O, Dduw, crefodd wedyn, gad iddo fod yn unrhyw beth, unrhyw beth o gwbl, ond nid y lloches. Cyflwynodd Dafydd y bregeth gas yn ei ddull arferol gyda'i fys yn dyrnu'r awyr yn agos at drwyn Harri.

'Pwy wyt ti'n meddwl welais i wedi i mi d'adael di yn yr ysgol bore 'ma?' Cododd Harri ei ysgwyddau. 'A phaid ti â meiddio codi d'ysgwyddau arna i. Miss Prosser. Dyna pwy. Ac mae hi'n dweud wrtha i ei bod hi wedi rhoi llythyr i ti ddod adref rai wythnosau'n ôl. Rŵan, welais i ddim golwg o'r llythyr yna, Harri. Felly beth wnest ti efo fo? Ei guddio fo, yntê, neu ei rwygo'n ddarnau, efallai.' O leiaf nid y lloches oedd y broblem. Ceisiodd Harri dorri ar ei draws, ond methodd. 'Anonestrwydd rhonc,' rhuodd Dafydd, 'dyna be ydi o. A be wyt ti wedi'i wneud? Rwyt ti wedi torri rheolau'r ysgol eto! Cael dy ddal ar y tir wedi'i fomio, dyna ddywedodd hi. Ond nid hynny'n unig. Dywedodd Miss Prosser dy fod wedi ymddwyn yn ddigywilydd hefyd.' Oedodd i dynnu anadl.

'Mi rois i'r llythyr i chi,' meddai Harri'n ddistaw.

'Wnest ti ddim.' Craciodd llais Dafydd – roedd yn gynddeiriog. 'Wnest ti ddim byd o'r fath.'

'Do,' meddai Harri. Edrychodd draw at ei fam. 'Wir, Mam, y noson yr aethon ni i'r syrcas oedd hi, y noson y cafodd Tomi ei eni.'

'Mae o'n dweud celwydd eto,' meddai Nain Jenkins.

'Dos i dy 'stafell ac aros yno weddill y noson,' bloeddiodd Dafydd.

'Daf,' plediodd mam Harri, 'paid â bod yn rhy llawdrwm arno fo. Dydi pethau ddim wedi bod yn hawdd iddo fo, 'sti.'

'Efallai mai rhan o'r broblem, cariad,' meddai Dafydd yn sur, 'ydi na fuost ti'n ddigon cadarn efo fo pan oedd o'n 'fengach. Ella mai dyna pam rydan ni'n cael yr holl helynt yma rŵan. Dwi ddim am godi fy llaw ato fo. Wnes i mo hynny 'rioed. Nid un felly ydw i. Ti'n gwybod hynny, ac mae yntau'n gwybod, ond mae'n rhaid iddo fo ddeall na fedrith o ddianc rhag canlyniadau ei weithredoedd drwy ddweud celwyddau.' Roedd o'n dawelach erbyn hyn. 'Gorffenna dy de, Harri, ac yna dos i dy 'stafell.'

Ymbiliodd Harri ar ei fam. Ysgydwodd hithau ei phen yn drist. 'Dwn i ddim be sy wedi dod drosot ti'n ddiweddar, Harri,' meddai hi. 'Pam wyt ti'n gwneud y fath bethau? Pam wyt ti'n dweud y fath bethau?

Doeddet ti byth yn arfer bod fel hyn.' Plygodd Harri ei ben heb ddweud 'run gair. Ochneidiodd ei fam.

'Mi fasai'n well i ti ufuddhau i Daf, Harri,' meddai hi.

Gwthiodd Harri ei blât oddi wrtho. 'Dwi ddim yn dweud celwydd,' atebodd, gan ymdrechu i atal y dagrau. 'Mi rois i'r llythyr iddo fo. Dwi'n berffaith siŵr o hynny.' Rhuthrodd allan a rhedeg i fyny'r grisiau. Unwaith y cyrhaeddodd ei ystafell gollyngodd ei hun ar ei wely a chrio – ond yn ddistaw, rhag iddyn nhw ei glywed.

Yn nes ymlaen, daeth ei fam i mewn i'w gysuro.

'Dim ond meddwl am dy les di mae Daf, 'ngwas i,' meddai hi gan fwytho'i wallt. Yna dechreuodd Tomi grio i lawr y grisiau, a brysiodd hithau allan ato.

Roedd Harri'n ei chael yn anodd dweud ei bader pan oedd o mewn hwyliau drwg. Fe ddywedodd ei bader y noson honno, fel arfer, ond heb feddwl yr un gair ohoni.

Roedd yn bwrw glaw mân ar y ffordd i'r ysgol y bore trannoeth. Cerddodd Dafydd mewn distawrwydd wrth ei ochr. 'Well i ti godi dy sanau, 'ngwas i, cyn mynd i mewn,' meddai y tu allan i giatiau'r ysgol. 'A chadwa allan o ffordd Miss Prosser, er dy les dy hun.' Gwenodd Dafydd i lawr arno wrth sythu'i gap. 'Mi wn i'n iawn dy fod ti'n meddwl mod i'n dipyn o hen deyrn, Harri, ond oherwydd mod i eisiau gwneud fy ngorau drosot ti mae hynny. Ti'n deall?' Doedd Harri ddim yn deall, ond dywedodd ei fod. Roedd yn haws felly.

Gwnaeth ei orau glas i osgoi Miss Prosser, ond daeth ei gwymp amser chwarae. Roedden nhw i fod i fynd allan ar yr iard, ond roedd hi'n dal yn wlyb tu allan ac roedd rhai o'r bechgyn wedi aros ar ôl yn yr ystafell ddosbarth, Harri yn eu mysg. Roedd dwy ffordd o gyfnewid cardiau sigaréts: ffeirio pan oeddech chi'n gwybod beth oeddech chi'n ei gael, a 'gollwng' pan oeddech chi ddim. Ond wrth ollwng roedd y wobr a'r fenter yn llawer mwy. Ni fyddai Harri'n gollwng yn rhy aml oherwydd, rywfodd neu'i gilydd, byddai bob amser yn cael bargen wael. Cafodd ei ddenu i'r gêm yn rhannol am ei fod yn ei chael yn anodd i wrthod, a hefyd am fod ganddo ddwsin o'r un cardiau nad oedd ots ganddo'u colli; roedd 'na wastad obaith y gallai gael gafael ar gerdyn roedd o wir ei eisiau.

Gêm ddigon syml oedd hi: pawb yn dod at ei gilydd mewn cylch a rhywun yn gollwng neu'n fflicio cerdyn ar y llawr. Y bwriad oedd gollwng eich cerdyn i lanio ar un rhywun arall. Os llwyddech chi i wneud hynny, yna roeddech chi'n codi'ch cerdyn eich hun a'r un roedd o wedi syrthio arno. Gyda thipyn o lwc, gallech chi hyd yn oed lanio ar ddau gerdyn ar yr un pryd. Am ychydig funudau bu pawb yn chwarae'n ddigon bodlon. Roedd Harri wedi colli un cerdyn ac wedi ennill dau, yna aeth popeth o chwith. Roedd rhyw ddwsin o gardiau ar y llawr pan chwythwyd y drws ar agor yn sydyn. Cododd yr awel rai o'r cardiau a'u symud, a sylweddolodd Harri fod un o'i gardiau wedi cael ei orchuddio ac yn cael ei hawlio. Doedd o ddim yn meddwl bod hynny'n deg, a dywedodd ei farn yn blwmp ac yn blaen. Gwylltiodd pawb yn fuan iawn ar ôl hynny. Trodd gwthio'n bwnio a phwnio'n ymladd. Nid Harri oedd yn gyfrifol am y ddyrnod gyntaf, ond y drwg oedd mai fo oedd yr unig un oedd yn dal i ddyrnu pan gerddodd Miss Prosser i'r ystafell ddosbarth y tu ôl iddo.

'Harri Hughes eto,' meddai hi gan ysgwyd ei phen. 'Harri Hughes sydd wrth wraidd popeth bob tro.'

Dim ond un gosb oedd yn waeth na chael ochr gul y pren mesur ar gefn eich llaw. Roedd y gosb roedd o am ei chael rŵan yn para'n hirach, ac yn un o ffefrynnau arbennig Miss Prosser. 'O'ch herwydd chi, ac o'ch herwydd chi yn unig, Harri Hughes,' cyhoeddodd, 'bydd y dosbarth i gyd yn aros i mewn drwy egwyl y pnawn, ac ar ben hynny bydd pawb yn aros ar ôl am ddeng munud ar ddiwedd y dydd.' Roedd hynny'n ddigon drwg, gan y gwyddai Harri y byddai pawb yn ei feio fo a fo'n unig. Ond roedd gwaeth i ddilyn. Gwawriodd arno'n araf i ddechrau, ond yn fuan daeth yn amlwg iawn fod pawb yn gwrthod siarad efo fo. Doedd neb hyd yn oed yn edrych arno. Roedden nhw i gyd yn ei anwybyddu. Roedd Harri'n eu casáu nhw i gyd, pob copa walltog ohonyn nhw. Wedi'r cyfan, roedden nhw i gyd wedi bod yn ymladd hefyd. Nid fo'n unig oedd ar fai. Roedden nhw'n ei feio fo oherwydd ei fod o wedi bod yn anlwcus ac wedi cael ei ddal, dyna'r cyfan. Ceisiodd Harri ymwroli a chymryd arno nad oedd yn malio, ond mi roedd o. Wrth weld pawb yn ei wrthod a throi'u cefnau arno, roedd yn torri'i galon, ac erbyn diwedd y pnawn roedd y boen y tu mewn iddo'n annioddefol.

Y tu allan roedd mwrllwch o niwl trwchus eto, a chrwydrodd Harri tuag adref yn llawn gofid. Cafodd ei hun yn eistedd ar y fainc yn y parc yn meddwl am y stori roedd Signor Blondini wedi'i hadrodd wrtho, am sut roedd o wedi rhedeg i ffwrdd pan oedd yn hogyn. Allai pethau ddim bod yn waeth nag roedden nhw ar hyn o bryd, roedd Harri'n sicr o hynny. Doedd ganddo ddim cartref go iawn erbyn hyn, na ffrindiau chwaith. Roedd yr ysgol wedi troi'n hunllef. Doedd ganddo ddim i'w golli. Byddai'n rhedeg i ffwrdd. Ie, dyna fyddai'n ei wneud. Byddai hynny'n dysgu gwers iddyn nhw. Byddai'n rhedeg i ffwrdd.

Roedd wrthi'n cynllunio i ble y byddai'n mynd pan glywodd gi yn cyfarth. Ni fedrai ei weld, ond roedd y cyfarth yn ddwfn ac yn ffyrnig ac yn dod yn nes ato. Yna ymddangosodd Oci o'r niwl yn rhedeg ar ei phedwar, a'r ci yn dynn ar ei sodlau. Roedd y ci – fel ei gyfarthiad – yn anferth, gan wneud i Oci druan edrych yn fach iawn ac yn llawn arswyd. Pan welodd hi Harri ar y fainc, petrusodd am eiliad fer cyn neidio ar ei lin a dringo ar ei ysgwyddau, gan sgrechian yn herfeiddiol ar y ci oedd yn dod tuag ati. Byddai Harri wedi rhedeg hefyd, ond roedd yn rhy hwyr. Prin y cafodd gyfle i godi ar ei draed cyn bod y ci yno, yn snapio'n wyllt i'w gyfeiriad ac yn chwyrnu gan ysgyrnygu a dangos ei ddannedd. Dim ond un peth fedrai Harri ei wneud. Ciciodd yn wyllt a llwyddo i'w daro. Gan swnian yn ddig, trodd y ci a sleifio i ffwrdd oddi wrthyn nhw.

Crynai Oci a Harri gan ofn. Ond roedd Harri ddigon o gwmpas ei bethau i beidio cynhyrfu a chofio beth roedd Signor Blondini wedi'i wneud. Mwythodd ben Oci y tu ôl i'w chlustiau a siarad yn dawel efo hi. '*Va bene*, Oci, *va bene*. Mae o wedi mynd rŵan. *Va bene*.' Wyddai Harri ddim i sicrwydd ai ei eiriau neu'r pecyn creision gynigiodd o i Oci oedd y rheswm, ond yn fuan iawn eisteddai'n hapus ar y fainc wrth ei ochr yn rhwygo'r pecyn yn rhacs.

'Be wyt ti'n wneud yma ar dy ben dy hun?' holodd Harri. 'Ble mae Signor Blondini?' Cerddodd law yn llaw efo Oci i fyny ac i lawr y llwybr a redai drwy'r parc yn chwilio am Signor Blondini. Doedd dim golwg ohono yn unman. Meddyliodd wedyn am fynd ag Oci'n ôl i'r syrcas, ond doedd o ddim yn hollol siŵr ble roedd hi, a beth bynnag doedd ganddo ddim arian i dalu am fynd ar y bws. Dim ond un peth arall allai Harri ei wneud. 'Bydd raid i ni fynd adref, Oci,' meddai. 'Mi wn i am yr union le i ti. Mi fyddi di wrth dy fodd yno. Gei di 'stafell i ti dy hun ac mi a' i â chdi'n ôl at Signor Blondini fory. Gwnaf, wir. Fydd dim ots ganddo fo os dwi'n cael dy fenthyg di am un noson, na fydd?' Edrychodd Harri ar wyneb Oci'n syllu i fyny arno a chydiodd yn dynnach yn ei llaw. 'Fyddwn ni'n dau yn iawn efo'n gilydd, Oci. Chdi a fi, mi fyddwn ni'n iawn.'

PENNOD PEDWAR

Heb y niwl i'w cuddio, byddai wedi bod yn amhosib i'r ddau gyrraedd adref heb i neb eu gweld, heb sôn am sleifio Oci i'r lloches. Fe gerddon nhw drwy'r niwl heibio i amryw o bobl, eu pennau wedi'u plygu a sgarffiau dros eu trwynau. Os oedd ambell un yn sylwi arnyn nhw, yna gweld beth roedden nhw'n disgwyl ei weld oedden nhw, sef dau o blant yn cerdded adref o'r ysgol, yn cydio yn nwylo'i gilydd. Petai rhywun wedi'u hadnabod fyddai gan Harri ddim stori barod i'w dweud, dim esboniad call. Roedd yn llawer rhy brysur yn ceisio dyfalu sut i sleifio Oci trwy'r drws ffrynt, drwy'r seler ac i'r lloches. Daeth yn amlwg iawn wrth iddo nesáu at y tŷ y byddai hynny'n ormod o fenter. Un ffordd arall yn unig oedd i fynd i mewn i'r lloches. Byddai'n rhaid iddo ddringo dros y ffens weiren i'r tir wedi'i fomio. Yn y niwl trwchus credai y byddai'n bosib, efallai, iddyn nhw lwyddo i wneud hynny heb i neb eu gweld. Doedd o erioed wedi dringo dros y ffens o'r blaen, a doedd o ddim yn siŵr y medrai wneud chwaith. Byddai'n rhaid i Oci eistedd ar ei ysgwyddau.

Ond wnaeth Oci ddim byd o'r fath. Rhedodd i fyny'r ffens gan hongian ar y brig gerfydd un fraich yn aros i Harri chwilio am le i roi ei droed. Erbyn i Harri ddringo'r ffens doedd dim golwg o Oci. Clywai hi'n siffrwd drwy'r tyfiant yr ochr draw. Ni feiddiai alw arni, dim ond neidio i lawr i'r safle a mynd ar ei hôl. Unwaith roedd o'n ddigon pell o'r ffordd, mentrodd alw'n dawel arni.

O'i gwmpas ym mhobman deuai adfeilion waliau i'r golwg drwy'r niwl. Doedd dim golwg o Oci ar y dechrau; yna, symudodd rhai o'r brics yn uchel uwch ei ben a chlywodd Harri sŵn hwtian. Gwyddai am y wal honno – roedd y brics yn fregus a'r wal yn dadfeilio, a doedd arno ddim awydd mentro i fyny ar ôl Oci. Ceisiodd ei pherswadio i ddod i lawr. Roedd Oci ar ei chwrcwd, ei dau benelin ar ei phengliniau, ac un fraich yn cydio yn ei hysgwydd, yn edrych i lawr arno heb unrhyw ddiddordeb o gwbl. Rhoddodd Harri gynnig ar y geiriau hud '*Va bene*' dro ar ôl tro, ond doedd dim byd yn tycio, waeth pa mor aml na pha mor dyner y dywedai'r geiriau. Byddai Oci'n troi draw, yn crafu'i chorff neu'n pigo'i thrwyn yn ddi-hid. Doedd gan Harri ddim dewis ond mynd i fyny i'w nôl hi. Rhoddodd ei fag ysgol ar lawr a dechrau dringo. Roedd yn ddigon hawdd i ddechrau, ond wrth iddo fynd yn uwch roedd y llefydd i roi'i draed yn mynd yn brinnach ac yn brinnach. Arhosodd bob hyn a hyn gan geisio perswadio Oci i ddod i lawr – heb lwyddo. Uchaf yn y byd roedd o'n mynd, uchaf yn y byd yr â i hithau, a phan gyrhaeddodd Harri dop y wal o'r diwedd, doedd dim golwg o Oci yn unman.

Gorffwysodd am funud neu ddau i orffwyso'i bengliniau crynedig. Roedd y niwl yn cau amdano erbyn hyn. Doedd dim tai yn y golwg, dim coed, dim waliau. Edrychodd i lawr. Roedd y tir wedi'i fomio oddi tano. Gwyddai hynny, ond doedd dim byd i'w weld. Galwodd eto ar Oci a'i chlywed hi'n hwtian ateb yn rhywle ymhell islaw. Erbyn hyn, roedd Harri'n dechrau difaru nad oedd wedi mynd â hi'n ôl i'r syrcas yn syth. Roedd y daith i lawr hyd yn oed yn fwy sigledig, a'i draed yn llithro'n aml ar y brics gwlyb. Cafodd un eiliad ddychrynllyd, frawychus, pan symudodd bricsen dan ei bwysau a'i adael yn hongian gerfydd ei ddwylo yn gwrando ar y gawod o frics a sment yn disgyn ar y tyfiant ymhell oddi tano.

Pan gyrhaeddodd y llawr o'r diwedd roedd Oci yno, yn chwilota'n brysur drwy'r glaswellt. 'Dy syniad di o gêm ydi hyn, debyg,' meddai Harri gan gydio'n gadarn yn ei llaw. Wnaeth o ddim llacio'i afael nes ei fod wedi ymestyn dros nenfwd ei loches, a gollwng Oci i lawr ar y bwrdd islaw. Y peth cyntaf a wnaeth oedd symud y bwrdd rhag i Oci fedru dringo allan eto drwy'r un ffordd ag y daeth i mewn. Tra oedd Oci'n chwilota, gwnaeth Harri'n berffaith siŵr na fedrai hi ddianc o'i loches. Tan heddiw, doedd o erioed wedi gorfod meddwl am y lloches fel rhywle na fedrai neb ddod allan ohono, dim ond fel lle na ddylai neb fedru gweld i mewn iddo. Roedd y waliau o'i gwmpas yn hollol noeth, ac er bod un wal yn is na'r gweddill doedd dim lle i roi troed, dim ffordd i ddringo allan – ac roedd y gist wedi'i gwthio'n ond byddai'n rhaid iddo gael bwyd o rywle ar gyfer Oci. Ffrwythau, unrhyw fath o ffrwythau, a llysiau – dyna oedd Signor Blondini wedi'i ddweud. Roedd ei fag ysgol wrth ei draed, a sleifiodd yr afal i mewn iddo pan nad oedd neb yn gwylio. Ond go brin y byddai hynny'n ddigon, meddyliodd, nid am noson gyfan. Felly y munud roedden nhw i gyd wedi mynd i fyny'r grisiau i roi Tomi yn ei wely, aeth Harri i'r pantri. Doedd dim byd yno heblaw am ddau nionyn ac un gabatsien. Byddai'n rhaid iddyn nhw wneud y tro. Prynai rai eraill yn eu lle fory. Gyda thipyn o lwc fyddai neb yn sylwi, meddyliodd, oni bai eu bod yn bwriadu eu defnyddio ar gyfer swper. Cymerodd nhw beth bynnag, a chrystyn neu ddau o fara sych hefyd, yn y gobaith bod Oci'n hoffi bara.

Wedi cyrraedd y seler, cripiodd yn ddistaw at y lle tân. Llusgodd y gist i'r ochr mor araf ag y medrai, ond cododd y sŵn arswyd ar Oci, a sgrialodd gan sgrechian i gornel y lloches. 'Dim ond fi sy 'ma,' meddai Harri, yn dod allan drwy'r twll, ei ben yn gyntaf ac yn estyn y bara iddi. 'Dim ond fi. *Va bene . . . va bene.*' Swatiai Oci yn erbyn y wal, yn agor a chau ei llygaid yn wyllt. Wrth iddo nesáu ati, sylwodd arni'n crafu'i hysgwydd. Dyna fyddai hi'n ei wneud, meddyliodd Harri, bob tro roedd hi'n ansicr. Yna, ar ôl iddi ei adnabod, rhedodd ato gan ddringo i fyny'i goes ac ar ei ysgwyddau. Rhoddodd Harri hi i eistedd ar y bwrdd a gosod y bwyd o'i blaen. Cymerodd hi'r bara ar unwaith a'i lowcio, pob briwsionyn ohono. Yna bwytaodd y nionod, y ddau ar unwaith. Doedd hi ddim mor awyddus i fwyta'r gabatsien – efallai, meddyliodd Harri, fod hynny am nad oedd hi ar glemio erbyn hyn. Rhannodd y ddau yr afal rhyngddynt, gan ei basio'n ôl ac ymlaen nes bod dim tamaid ar ôl ond y galon. Wedyn tynnodd Oci'r hadau'n ffyslyd o'r galon cyn llowcio'r gweddill.

'Be wyt ti'n feddwl o'r lloches 'ma, Oci?' holodd Harri. 'Dydi hi ddim yn ddrwg o gwbl, nac ydi? Mae gen ti le i gysgu fan'cw, ar y fatres. Ty'd 'laen.' Cydiodd yn ei llaw, ei harwain i gornel dywyllaf y lloches, a'i rhoi i eistedd ar y fatres. 'Mae gen ti obennydd, edrych, a blancedi hefyd. Wel, hen lenni ydyn nhw mewn gwirionedd, ond mae 'na ddigon ohonyn nhw.' Tynnodd y llenni fesul un allan o'r gist ddroriau. Rowliodd Oci a gwneud giamocs yn eu canol, yna pranciodd o gwmpas y lloches gan lusgo'r llenni ar ei hôl. Rhedodd Harri ar ei hôl gan geisio gafael ynddyn nhw, ond roedd yn chwerthin cymaint fel y bu'n rhaid iddo roi'r gorau iddi gan ei fod allan o wynt yn llwyr. Gollyngodd ei hun i lawr ar y fatres, a phan sylweddolodd Oci nad oedd neb yn rhedeg ar ei hôl, closiodd ato. 'A' i ddim i'r ysgol fory, Oci,' meddai'n fyr ei wynt. 'Mi arhosa i yma efo ti os wyt ti eisio. Dwi wedi gwneud hynna o'r blaen. Mae'n hawdd os wyt ti'n gwybod sut. 'Swn i'n hoffi bod yn tsimpansî. Dim ysgol, dim Miss Prosser. Wyddost ti ddim mor braf ydi hi arnat ti.' Gorweddodd Oci ar ei chefn a dechrau chwarae efo'i thraed. 'Mae'n rhaid i mi fynd cyn bo hir, Oci, neu mi fyddan nhw'n dechrau meddwl ble rydw i. Rhaid i ti addo peidio gwneud smic o sŵn, neu mi ddôn nhw o hyd i ti.' Doedd Oci ddim fel petai'n gwrando. Safai ar ei thraed, yn neidio i fyny ac i lawr ar y gobennydd ac yn ei ddyrnu i mewn i'r fatres. Cydiodd

Harri yn ei llaw a'i thynnu ato. 'Dwi o ddifri, Oci – dim sŵn, iawn? Addo i mi.' Mwythodd ei phen y tu ôl i'w chlustiau, a gafaelodd Oci ynddo, gan lapio'i breichiau'n dynn o amgylch ei wddw, ei bysedd yn chwilota'n ddwfn yn ei glust dde. 'Mi fydda i'n ôl fory, ac mi ddo i â rhagor o fwyd i ti hefyd. Nionod, os medra i eu cael nhw, ond mi fydda i angen arian.' Dringodd i fyny i'w stôr arian yn uchel yn y wal, tynnu'i focs pensiliau allan a'i wagio. 'Ddylai hyn fod yn ddigon,' meddai gan roi'r bocs yn ôl. 'Bydd di'n hogan dda rŵan.'

Gadawodd hi'n eistedd ar y fatres yn y tywyllwch. Wnaeth hi ddim ymdrech i'w ddilyn wrth iddo ddringo'n ôl i'r seler. Cafodd gip arni'n rowlio'r gabatsien o gwmpas y lloches ac yn rhedeg ar ei hôl wrth iddo wthio'r gist yn erbyn y wal.

Yn y bore roedd y niwl trwchus yn dal yno, y tu allan i'w ffenest. Gwnaeth Nain Jenkins uwd llawn lympiau iddo, ac fel arfer mynnodd ei fod yn rhoi halen arno, nid siwgr. Llyncodd Harri'r uwd yn gyflym rhag gorfod ei flasu. Roedd Nain Jenkins wrthi'n stwna o gwmpas y gegin fel y byddai wastad yn ei wneud amser brecwast, sigarét yn hongian o'i cheg, yn siarad pymtheg y dwsin. Doedd Harri ddim yn gwrando arni. Sŵn yn y cefndir, fel hymian cynnes y stôf nwy, oedd ei geiriau. 'Harri! Harri!' Roedd hi'n bendant yn siarad efo fo rŵan. 'Wyt ti'n gwrando arna i, ŵr ifanc? Glywaist ti'r dylluan neithiwr?'

'Tylluan?'

'Chlywais i ddim byd tebyg erioed,' meddai hi.

‘Hwtian a sgrechian. Mi gadwodd fi’n effro am oriau.’

Cododd Dafydd ei ben. ‘Amhosib,’ meddai. ‘Does ’na ddim tylluanod yma.’

‘Dwi’n dweud wrthat ti mai tylluan oedd hi. Roedd y sŵn yn dod o’r tir wedi’i fomio,’ meddai Nain Jenkins. ‘Dwi’n berffaith sicr. Dwi’n nabod tylluan pan glywa i un.’

Ac yna sylweddololodd Harri am beth roedd hi’n sôn. ‘Chlywais i ddim byd,’ meddai.

‘Na finna,’ meddai Dafydd gan wthio’i gadair yn ôl. ‘Hen freuddwyd cas oedd o, Mam. Well i ni’i throi hi am yr ysgol, Harri, neu mi fyddwn ni’n hwyr.’

Gwyddai Harri y byddai Dafydd yn cerdded efo fo at giât yr ysgol – roedd o wedi gwneud hynny byth ers iddo gael ei ddal yn chwarae triwant. Byddai’n gwneud pethau’n fwy anodd, wrth gwrs, ond roedd Harri’n benderfynol na fyddai’n mynd i’r ysgol y diwrnod hwnnw. Wrth gau’r drws ffrynt y tu ôl iddo, sylwodd Harri fod y niwl yn fwy trwchus fyth, ac roedd hynny’n ei siwtio i’r dim.

Ar ôl i Dafydd ei adael, aeth Harri i mewn drwy giât yr ysgol, ac aros yng nghornel yr iard nes ei fod yn siŵr bod Dafydd wedi mynd o’r golwg – yna cerddodd allan. Sylwodd neb o gwbl arno – roedd y mwrllwch yn cuddio popeth. Yn y siop lysiau ar y gornel gwariodd ei holl arian ar nionod, cabatsien a thatws. Edrychai Martha, gwraig y siop, yn oer bob amser, ei dwylo a’i bochau mor biws â’i betys. Synnai braidd ei fod wedi gofyn am gymaint o nionod. ‘Wyt ti’n siŵr, Harri?’ gofynnodd.

‘Dyna ddwedodd Mam,’ atebodd, gan godi’i

ysgwyddau'n ddi-hid.

Yna aeth yn ôl i'r tir wedi'i fomio, gan ofalu cadw ar ochr arall y ffordd rhag ofn iddo daro ar Nain Jenkins yn mynd i nôl neges. Roedd dringo'r ffens yr un mor anodd â'r diwrnod cynt gan fod y tyllau'n rhy fach i'w draed. Bu wrthi am hydoedd. Wrth iddo gyrraedd y brig, clywodd sŵn traed yn cerdded ar hyd y palmant islaw. Fferrodd Harri yn ei unfan. Petai pwy bynnag oedd yno'n edrych i fyny byddent yn ei weld yn syth, ond wnaethon nhw ddim. Daeth o hyd i'r ysgol a dringo i lawr i'r lloches. Sgrialodd Oci tuag ato, gan hwtian ei chroeso. Dringodd drosto'n eiddgar a chydio'n dynn am ei wddw.

Aeth rhai munudau heibio cyn iddo lwyddo i'w thawelu – ac yna edrychodd o'i gwmpas a gweld y llanast. Roedd y llawr yn garped o blu, o un wal i'r llall. Y bwrdd â'i ben i lawr, y drôr yn hongian allan ohono. Y stwffin wedi'i rwygo o'r cadeiriau. Y gist ddroriau ar ei hochr ac wedi torri. Gwasgarwyd cardiau sigaréts i bobman ymysg y plu, ac roedd ei goncars a'i farblis yn strim-stram-strellach ym mhobman. Ar y llawr wrth ymyl y fatres roedd llun ei dad, y gwydr yn deilchion; ac roedd y fedal – medal ei dad – wedi diflannu oddi ar y wal.

rhoi nionyn iddi'n eu gwneud yn ffrindiau eto. Felly tynnodd un allan o'i fag ysgol a'i gynnig iddi'n araf fel roedd Signor Blondini wedi'i ddangos iddo, gan osgoi edrych i fyw ei llygaid. Symud oddi wrtho wnaeth hi i ddechrau ac yna eisteddodd i lawr, wedi pwdu, ac edrych draw. 'Do'n i ddim yn ei feddwl o, Oci,' meddai. 'Nac o'n wir. Ond Dad oedd piau'r fedal, yli. Dyna'r unig beth sy gen i ar ôl i gofio amdano fo.'

Cyffyrddodd Oci y nionyn a sniffian ei llaw. 'Mi brynais i hwn yn arbennig i ti,' meddai Harri. Cropiodd tuag ati gan gydio yn llun ei dad a'i ddangos i Oci. 'Edrych, Oci, dacw fo, fy nhad i. Mi gafodd 'i ladd yn y rhyfel. Ac edrych, dacw'i awyren o. Awyren fomio ydi hi – Lancaster. Roedd o ynddi pan gafodd ei ladd.'

Cydiodd Oci yn y nionyn ac edrych yn ofalus arno.

'Roedd Dad yn arwr,' esboniodd Harri. 'Cafodd ei ladd wrth achub pobl eraill, Oci. Wir yr, dyna wnaeth o. Dyna pam y cafodd o'r fedal. Mi ddwedais i wrthyn nhw yn yr ysgol, ond dydyn nhw ddim yn fy nghredu i. Maen nhw'n meddwl mod i'n palu celwyddau, ond dydw i ddim. Mi allai Dad fod wedi dianc allan o'r awyren, Oci, mi allai o. Mi ddwedodd Mam yr hanes i gyd wrtha i.' Roedd Oci fel petai'n gwrando rŵan, ac aeth Harri yn ei flaen. 'Roedden nhw ar eu ffordd yn ôl o Ffrainc ac mi gafodd ei awyren ei saethu i lawr. Cafodd y peilot ei ladd, a dyma Dad – fo oedd y cyfeiriwr – yn cydio yn y llyw ac yn ceisio hedfan yr awyren yn ôl adref. Ond cyn bo hir roedd o'n gwybod na chyrhaedden nhw byth, felly mi ddwedodd wrth y lleill am neidio allan tra medren nhw. Roedd yn rhaid i rywun aros wrth y llyw. Dwedodd wrthyn nhw y byddai o'n neidio ar eu holau nhw, ond wnaeth o ddim. Gafodd pawb arall eu hachub o'r môr. Fo achubodd eu bywyd nhw i gyd, Oci. Mi ddylai Dad fod wedi dod allan hefyd, ond wnaeth o ddim – efallai na fedrai o, wn i ddim. Beth bynnag, disgynnodd ei awyren i'r môr. Dyna pam mae'n rhaid i mi gael hyd i'w fedal o, Oci.'

Rhoddodd ei fraich am ysgwyddau Oci a dringodd hithau ar ei lin gan frathu'r nionyn yn awchus. Edrychodd i fyny i wyneb Harri.

'Dydw i ddim yn crio,' meddai Harri, 'y nionyn 'na sy'n gwneud i'm llygaid i ddyfrio, dim byd arall.' Sychodd y dagrau â'i lawes. 'Sut yn y byd dwi'n mynd i gael hyd i'r fedal yn yr holl lanast 'ma? Bydd raid i ti fy helpu i dacluso, Oci. Wedi'r cwbl, dy lanast di ydi o, y mwrddrwg bach!'

Chwarddodd Harri a chodi rhai o'r concars oddi ar y llawr. 'Dim ots gen i am y cardiau sigaréts, ddim wir – mi wnân nhw sychu beth bynnag; ond mae'n edrych fel petait ti wedi ymosod go iawn ar fy nghoncars i – mae 'na ôl dannedd arnyn nhw. Rwyt ti wedi brathu bob un, yn do?' Gwthiodd Oci'n ofalus oddi ar ei lin a chodi ar ei draed. 'Ond mae gynnon ni drwy'r dydd i chwilio am y fedal. Mae'n rhaid ei bod hi yma yn rhywle, rhaid?'

Gadawodd Oci efo'i nionyn a dechrau chwilio'n drefnus a thrwyadl drwy'r llanast. I ddechrau, cododd bentyrrau o'r plu a'u stwffio'n ôl i mewn i'r gobennydd. Yna casglodd y cardiau sigaréts; roedd rhai ohonyn nhw wedi rhwygo a rhai'n damp, ond erbyn iddo orffen roedd pob set yn gyflawn, heblaw un. Mae'n rhaid bod

Oci wedi bwyta un neu ddau o'r cardiau, meddyliodd Harri. Doedd dim golwg o'r fedal o hyd, felly ar ôl codi'r marblis i gyd cydiodd yn llaw Oci a'i harwain drwy'r lloches yn gofyn iddi ble roedd hi wedi cuddio'r fedal, yn y gobaith y byddai hi'n dod o hyd iddi'n fwriadol neu ar hap. Doedd Harri ddim yn obeithiol, ond ni allai feddwl am ffordd arall. Roedd Oci'n hoffi cerdded, ond doedd ganddi ddim syniad pam roedden nhw'n gwneud hynny. O'r diwedd, rhoddodd Harri'r gorau iddi a chanolbwyntio ar dacluso'r lloches, gan weddïo y byddai'r fedal yn dod i'r fei yn hwyr neu'n hwyrach.

Erbyn diwedd y pnawn roedd y lloches yn drefnus eto, ond doedd dim golwg o'r fedal. Eisteddai Harri'n ddiflas yn y gadair freichiau yn syllu i fyny ar golomen ar y trawstiau duon oedd yn cynnal ei gartref, pan neidiodd Oci'n heini ar y bwrdd ac ymestyn i fyny i'r twll yn y wal lle cadwai Harri ei arian.

'Mae o wedi mynd i gyd, Oci,' meddai. 'Mi wariais i'r cyfan ar y nionod a'r tatws i ti, wyt ti'n cofio?'

Pan drodd Oci rownd wedyn roedd y bocs pensiliau yn ei dwylo. Doedd dim caead arno. Rhoddodd ei llaw i mewn i'r bocs ac estyn y fedal allan, heb i Harri orfod gofyn amdani. Daeth Oci â hi ato a'i chynnig iddo.

'Diolch, Oci,' meddai, a chusanu'r fedal. Cododd Oci'n ôl ar ei lin a mwytho'i phen. 'Dydw i ddim yn dy ddeall di,' meddai. 'Does gen i ddim syniad be wyt ti'n ei ddeall a be wyt ti ddim. Mae'n debyg dy fod ti'n gwybod am be ro'n i'n chwilio drwy'r adeg, y cnaf bach.' Sniffiodd. 'Ti'n drewi o nionod, yn pigo dy drwyn, yn creu hafoc ac yn chwalu fy lloches i'n rhacs. Dwn i'm pam y dyliwn i dy garu di, na wn i wir!'

Astudiodd Oci y fedal a ddaliai Harri o'i blaen, gan ei chyffwrdd a sniffio'i bysedd.

'Be wna i efo ti, d'wed? Mynd â ti'n ôl at Signor Blondini – dyna ddylwn i ei wneud. Ond mae ganddyn nhw ddigonedd o anifeiliaid eraill yn y syrcas, ac rwyt ti 'run mor hapus yma efo fi. Mae hynny'n amlwg. A beth bynnag, pam wnest ti ddianc oddi yno? Dyna 'swn i'n hoffi'i wybod. Ella nad oeddet ti'n hapus yno. Ella nad wyt ti eisio mynd yn ôl o gwbl. Ella dy fod wedi mynd i'r parc yn unswydd i chwilio amdana i. Dyna wnest ti, Oci? Dywedodd Signor Blondini wrtha i dy fod ti wastad yn chwilio amdana i. Dyna ddywedodd o, yntê?' Edrychodd Harri i lawr ar ei hwyneb yn syllu arno. 'Felly nid dwyn ydi o, ddim go iawn. Wedi'r cyfan, chdi oedd eisio dod, yntê? Wnaeth neb dy orfodi i ddod, naddo? Tydw i ddim yn pechu, nac ydw, wrth ofalu amdanat ti am dipyn bach?' Cnodd ar y darn o ddeilen cabatsien gynigiodd Oci iddo. 'Mae'r Tad Murphy yn awdurdod ar bechodau. Fo ydi'r un i ddweud wrtha i. Dyna wna i – mi a' i i weld y Tad Murphy i ofyn iddo be mae o'n ei feddwl. Os bydd o'n dweud bod yn rhaid i mi fynd â chdi'n ôl, mi wna i hynny, dwi'n addo, Oci.'

Gwthiodd Harri gymaint o bethau ag y gallai i'w fag ysgol – ei farblis, ei gardiau sigaréts a'r ychydig goncars oedd heb farciau dannedd Oci arnyn nhw. Rhoddodd y fedal a llun ei dad ym mhoced ei gôt, lluchiodd y gobennydd llawn plu dros ei ysgwydd a dechrau dringo'r ysgol i fyny i'r tir wedi'i fomio uwchben.

Doedd Oci ddim yn fodlon cael ei gadael y tro yma, a

cheisiodd ei ddilyn i fyny'r ysgol. Ond roedd gan Harri ateb parod i hyn. Estynnodd daten o'i fag a'i lluchio i'r llawr. Gwibiodd hithau ar ei hôl, gan gadael digon o amser iddo yntau ddringo i ben yr ysgol a'i thynnu i fyny y tu ôl iddo. Pan sylweddolodd Oci beth roedd o wedi'i wneud, daeth yn ei hôl gan sgrechian yn chwyrn arno. 'Taw wir, Oci. Glywodd Nain Jenkins chdi neithiwr 'sti. Shhh.' Rhoddodd Harri ei fys ar ei wefus a lluchio taten arall iddi. Anwybyddodd Oci y daten, ond roedd golwg mwy bodlon arni wrth iddi eistedd ar y llawr a chrafu'i hysgwydd. Gwthiodd Harri'r gobennydd y tu ôl i wal a dringo drosodd i'r ffordd. Prin y gwelai dŵr yr eglwys ym mhen draw'r stryd drwy'r niwl, fel bys tywyll yn y mwrllwch.

Roedd Harri wrth ei fodd ag arogl yr eglwys – yr arogl cyntaf hwnnw wrth i chi gerdded i mewn. Fel gwas allor, roedd o wedi gorymdeithio'n aml i fyny llwybr canol yr eglwys at yr allor yn siglo'r arogldarth yn ôl ac ymlaen, ond ni wyddai'n iawn pam roedd yn gwneud hyn. Roedd wedi meddwl efallai oherwydd mai arogl y Nefoedd oedd arogldarth; ond sut y gwyddai rhywun pa fath o arogl oedd yn y Nefoedd? Doedd neb oedd wedi mynd yno ac wedi dod yn ôl, nac oedd?

Roedd y Tad Murphy'n mwynhau paned a bisgeden yn y festri pan gurodd Harri ar y drws. 'Hoffwn gyffesu, O Dad,' meddai.

'Dwi ar ganol cael paned, Harri,' atebodd y Tad Murphy, ei geg yn llawn briwsion bisgedi. 'Ydi o'n bwysig?' Nodiodd Harri. 'Ty'd 'laen 'ta,' meddai'r Tad Murphy. Plygodd i ddiffodd y tân trydan, a cherddodd y ddau efo'i gilydd tuag at olau coch y gysegrfa dros yr allor. 'A sut mae'r brawd bach 'na sy gen ti?' holodd. 'Mi fydda i'n ei fedyddio fo yr wythnos nesaf 'sti.' Mae gan hyd yn oed y Tad Murphy chwilen yn ei ben am Tomi, meddyliodd Harri. 'Mae 'na andros o ogla drwg arnat ti,' meddai'r Tad Murphy, yn rhoi ei fraich am ysgwyddau Harri.

'Nionod,' meddai Harri, a tharo'i law ar ei fag ysgol. 'Dwi'n mynd â nionod adref i Mam.'

Unwaith roedden nhw ym mhreifatrwydd y gyffesgell, efo'r rhwyll rhyngddyn nhw a'r Tad Murphy'n ddim ond cysgod ar yr ochr arall, dechreuodd Harri siarad. 'O Dad, bendithia fi gan i mi bechu.' Roedd rhestr gyfan o bechodau i'w hystyried i ddechrau – y gwaethaf oedd ei awydd i lofruddio Miss Prosser – cyn iddo gyrraedd yr un oedd yn pwyso fwyaf ar ei feddwl.

'Ai dyna'r cyfan sydd gen ti i'w ddweud wrthyf i, fy mab?' holodd y Tad Murphy. 'Heb anghofio ambell gelwydd neu dwyll bychan?'

'Wel, mae 'na rywbeth arall, ond wn i ddim yn iawn a ydi o'n bechod ai peidio, O Dad,' meddai Harri.

'Gad ti hynny i mi benderfynu,' meddai'r Tad Murphy. 'Dyna pam dwi yma.'

'Wel, dwi'n meddwl ella mod i wedi dwyn rhywun, O Dad.'

'Dwyn rhywun?' Roedd y Tad Murphy yn amlwg wedi cynhyrfu.

'Wel nid *rhywun* yn hollol, nid person go iawn . . .'

'Wel beth, felly?'

'Oci ydi'i henw hi. Tsimpansî ydi hi,' meddai Harri.

'Ac mae hi'n ffrind i mi. Dwi'n ei chadw hi gartref, O Dad.' Bu'n ofalus i beidio â chrybwyll y lloches.

'Rwyt ti'n cadw tsimpansî gartref, fy mab?'

'Ydw, O Dad. Ar ôl i mi ei chyfarfod yn y parc mi ddois i â hi adref efo fi. Roedd hi eisio dod, a rŵan dydw i ddim eisio iddi hi fynd yn ôl. Y peth ydi, O Dad, rhywun arall piau hi, go iawn. Oes raid i mi fynd â hi'n ôl? Ydi ei chadw hi'n bechod marwol?' Clywodd y Tad Murphy'n chwerthin yn dawel.

'Nac ydi, fy mab. Ddim o gwbl. Dwi'n meddwl ella dy fod ti braidd yn unig ar hyn o bryd. 'Sgen ti ddim llawer o ffrindiau yn yr ysgol, nac oes? Tomi bach yn cael y sylw i gyd? Y peth mwyaf naturiol yn y byd dan amgylchiadau fel hyn ydi i blant gael ffrind dychmygol. Dwi'n cofio gwneud hynny pan o'n i'n ifanc. Dyna'r cyfan wyt ti wedi'i wneud. Wedi cael ffrind bach i ti dy hun. Ella 'i fod o'n ymddangos yn fyw iawn i ti . . .'

'Hi ydi fy ffrind, O Dad, ac nid ei dychmygu hi wnes i,' protestiodd Harri.

'Nage, siŵr. Dyna fel mae hi pan fydd rhywun yn unig. Mae rhywun angen ffrind mor ofnadwy nes ei fod yn dychmygu un, ond y drwg ydi wyddost ti ddim dy fod ti wedi gwneud, a dyna pam rwyt ti'n meddwl ei bod hi'n ffrind go iawn. Dim ond i ti feddwl am y peth mi fyddi di'n gwybod mod i'n dweud y gwir. Teimlo braidd yn unig wyt ti ar hyn o bryd, yntê? Teimlo nad oes neb d'eisio di?'

'Ie, mae'n debyg.'

'Wel dyna ti, felly. Dyna ddywedais i, yntê? Ond pan fyddi di'n teimlo'n unig, at Iesu Grist y dylet ti droi. Mi fedri di ymddiried ynddo fo. Wnaiff o byth dy siomi di. A beth arall allet ti fod eisio gan ffrind? Yn y cyfamser, mi wnaiff tsimpansî dychmygol y tro os ydi o'n dy wneud di'n hapus; yn sicr, dydi hynny ddim yn bechod, felly does dim rhaid i ti boeni. Ond mater arall ydi bod eisiau lladd Miss Prosser, fel y dywedais i o'r blaen. Dim ots beth mae hi'n ei wneud i ti, mae'n bechod, yn bechod marwol, dymuno ei bod hi'n marw. Mae meddwl drwg yn bechod ynddo'i hun – ddywedais i hynny o'r blaen, yn do?'

'Do, O Dad.'

'Wel felly, gei di ddweud "Henffych well, Mair", dair gwaith – a phaid â meddwl yn ddrwg am Miss Prosser na neb arall chwaith, wyt ti'n deall?' A dyna ddiwedd ar y mater.

Aeth Harri allan o'r eglwys a mynd tuag adref. Wrth gerdded heibio'r tir wedi'i fomio, meddyliodd tybed a allai'r Tad Murphy fod yn iawn, a'i fod wedi dychymgu'r cyfan; ond doedd dim rhaid iddo ond edrych ar y cardiau sigaréts soeglyd yn ei fag ysgol i wybod bod Oci'n rhywbeth byw a bod y Tad Murphy wedi camddeall. Ddywedais i'r gwir wrtho, meddyliodd, ac nid arna i mae'r bai nad oedd o'n fy nghredu i. A soniodd o ddim ei fod yn bechod, felly mi ga i gadw Oci cyn hired â dwi eisio.

Cafodd Harri flas mawr ar ei fwyd, er mai stwnsh corn bîff oedd o eto fyth. Roedd Nain Jenkins wedi'i phlesio'n fawr, a gwenodd arno gan ofyn sut hwyl gafodd o yn yr ysgol. 'Iawn,' atebodd Harri. Plygodd Nain ymlaen ac edrych i fyw ei lygaid.

'Fuost ti ddim ar gyfyl yr ysgol!' meddai hi. Syfrdanwyd Harri. Sut yn y byd mawr roedd hi'n gwybod? 'Caea dy geg wrth fwyta, ŵr ifanc,' meddai hi, a gwenu wedyn gan estyn allan i gyffwrdd ei wallt. 'Dwi'n meddwl mai pluo cywion ieir fuost ti. Edrych arnat ti!' Daliodd bluen o flaen ei wyneb. 'Ac mae dwy neu dair arall yn fan'na.' A chwarddodd chwerthiniad cras, aflafar fel hen wrach. Chwarddodd mam Harri efo hi.

'Be sy mor ddoniol?' holodd Dafydd, yn cau'r drws y tu ôl iddo. Dywedodd Nain Jenkins wrtho, a chwarddodd pawb eto.

Tra oedd o'n bwyta'i bwdin bara menyn roedd seremoni rhoi bath i Tomi'n mynd yn ei blaen, gyda dŵr yn tasgu i bobman, pawb yn chwerthin a Tomi'n sgrechian nerth esgyrn ei ben. Yna rhoddwyd o i orwedd er mwyn rhoi powdwr arno, ei goesau'n cicio yn yr awyr. Sgeintiai ei fam y powdwr drosto gan ei rwbio i mewn i'w groen, a rhoddodd hynny syniad i Harri.

'Mae'n cadw croen Tomi rhag cael doluriau,' meddai hi. 'Wyt ti eisio rhoi cynnig arni, Harri?' Ysgydwodd Harri ei ben. 'Gei di afael ynddo fo wedyn os wyt ti eisio. Dwyt ti erioed wedi cyffwrdd Tomi hyd yn oed,' meddai hi'n drist. Prin y medrai Harri berswadio'i hun i edrych ar Tomi, heb sôn am gydio ynddo.

'Mae 'na un peth hoffwn i 'i wybod,' meddai Nain Jenkins mewn llais penderfynol. 'Pwy sy wedi mynd â fy nionod i?'

Caeodd Harri ei lygaid wrth ymladd yn erbyn y braw a chwyddai'n donnau drwyddo. Roedd o wedi anghofio rhoi'r nionod yn ôl! Edrychodd draw rhag iddyn nhw weld y gwaed yn llifo i'w wyneb. 'Pastai bugail oedden ni i fod i'w gael i swper heno,' meddai Nain Jenkins. 'Mi ddefnyddiais i ddogn olaf yr wythnos ar ychydig o friwgig, a phan es i i nôl y nionod o'r pantri doedden nhw ddim yno.'

'Dwi'n siŵr eu bod nhw yno yn rhywle,' meddai Mam. 'Roedden nhw yno ddoe, a dwi'n sicr ddim wedi'u defnyddio nhw. Mi welais i nhw yn y fasged lysiau.'

Ysgydwodd Nain Jenkins ei phen yn bendant iawn. 'Ella eich bod chi'n meddwl mod i'n hen a braidd yn dwlal, ond pan dwi'n dweud bod dim nionod yno, dwi'n dweud y gwir.'

Ildiodd mam Harri, fel y byddai'n ei wneud bob amser, a chodi'i hysgwyddau. 'Os dach chi'n dweud,' meddai'n wylaidd.

Bachodd Harri ar ei gyfle. 'Welais innau nhw,' meddai. 'A' i i'w nôl nhw os leciwch chi,' ac aeth allan ar frys at ei fag ysgol yn y lobi ffrynt. 'Dyna chi,' meddai, yn dod yn ôl i'r gegin. 'Dau nionyn a chabatsien.' Gwenodd ei fam yn llydan arno, gan wneud ei fuddugoliaeth yn felysach fyth. Ni feiddiai edrych ar wyneb Nain Jenkins.

Aeth o ddim i'r ysgol drannoeth chwaith. Gofalodd Dafydd ei fod yn croesi'r ffordd yn ddiogel, ond cyn gynted ag roedd Dafydd wedi diflannu i'r niwl croesodd Harri'r ffordd eto ac anelu am y tir wedi'i fomio. Roedd Oci'n aros amdano ar waelod yr ysgol wrth iddo ddringo i lawr ati. Roedd ei chroeso'n eithriadol o frwdfrydig – gymaint felly fel iddi grafu'i wyneb efo'i bysedd. Roedd o wedi dod â gweddill y tatws a'r nionod yn ei fag ysgol heddiw, ac roedd Oci'n mwynhau chwarae efo dwy daten tra oedd Harri'n paratoi at ei berfformiad.

Byddai tun o bowdwr babi'n gwneud y tric, meddyliodd – ac roedd tun sbâr wrth gefn, felly fydden nhw ddim yn ei golli – a hen lipstig ei fam y daeth o hyd iddo ym masged sbwriel yr ystafell ymolchi. Gan sefyll o flaen y drych, sgeintiodd y powdwr ar gledrau'i ddwylo a'i rwbio dros ei wyneb i gyd i'w orchuddio. Doedd o ddim yn glynu'n arbennig o dda, ond roedd yr effaith yn union fel roedd o wedi'i fwriadu. Edrychai'r un ffunud â Mistar Neb, yn wyn fel ysbryd o'i wddw i fyny. Doedd fawr o hen lipstig ei fam ar ôl, ond roedd yn ddigon. Peintiodd ei wefusau'n goch gloyw ac yna troi i wynebu Oci, oedd yn dal i chwarae efo'r tatws.

Roedd Oci wedi gwirioni. Dechreuodd neidio i fyny ac i lawr, rholio, neidio din-dros-ben a churo'i dwylo'n frwd.

Pan smaliodd Harri chwarae'r ffidil a hymian 'Gwŷr Harlech', hwtiodd a sgrechiodd Oci nes i Harri stopio rhag ofn i rywun eu clywed o'r ffordd. Ceisiodd jyglo efo'r tatws. Doedd o ddim yn cael hwyl arni, ond roedd Oci fel petai'n deall beth roedd o'n trio'i wneud. Roedd hi wrth ei bodd efo'r cyfan, yn codi'r tatws oddi ar y llawr pan ollyngai Harri nhw – sef yn aml! – a'u rhoi'n ôl iddo.

Bu Harri'n chwarae 'clown a syrcas' efo hi drwy'r bore nes i'r glaw eu gyrru i gornel y lloches lle roedd rhywfaint o gysgod. Defnyddiodd Harri flanced i sychu'r colur oddi ar ei wyneb, ac yna arhosodd i'r glaw stopio. Ond buan iawn y blinodd Oci ar eistedd yn gwylio'r glaw. Mentrodd allan i dasgu drwy'r pyllau, yn taro'r dŵr â'i llaw ac yn neidio i fyny ac i lawr yn llawn cyffro. Yna dechreuodd yfed allan o'r pwll mwyaf. Ar ôl iddi dorri'i syched, cododd un o'r cyllyll a dechrau crafu'r pridd yn bwrpasol.

Gwyliodd Harri hi am dipyn a sylwi ei bod hi'n canolbwyntio'n llwyr. Er iddo alw arni amryw o weithiau ddaeth hi ddim ato, felly aeth o draw ati hi. Roedd hi'n brysur yn crafu ac yn crafu o gwmpas rhyw dwll bychan yn y ddaear. Bob hyn a hyn plygai i lawr i sniffian ynddo. Gwyrodd Harri wrth ei hochr a chlirio'r mwd rhydd, meddal. Ymwthiai rhywbeth metel allan o'r ddaear – metel pŵl, rhydlyd. Doedd gan Harri ddim syniad o gwbl beth oedd o ar y cychwyn, ond wrth iddo ef ac Oci grafu o'i gwmpas, yn sydyn daeth y siâp yn arswydus o glir.

Gwyddai Harri beth oedd o. Doedd dim modd ei gamgymryd. Cydiodd yn llaw Oci a'i thynnu'n ôl. Teimlai ei galon yn dyrnu yn ei glustiau. Roedd o'n edrych i lawr ar ran o adain bom. Doedd dim amheuaeth am hynny. Dim amheuaeth o gwbl.

PENNOD CHWECH

Am funud, roedd Harri wedi'i barlysu gan ofn. Roedd o, ac Oci hefyd, wedi cerdded dros yr union fan honno gannoedd o weithiau. Rhuthrai cymaint o bethau drwy ei feddwl fel mai'r cyfan y gallai ei wneud oedd sefyll a syllu. Yna camodd yn ôl yn araf, yn cydio'n dynn yn llaw Oci. Symudodd o amgylch waliau ei loches, ei lygaid wedi'u hoelio ar y bom. Wedi iddo gyrraedd troed yr ysgol, lapiodd Harri freichiau Oci o gwmpas ei wddw a dringo. Baglodd ar draws y safle at y ffens a gwylio Oci'n siglo'i ffordd yn ddidrafferth i'r brig. Dilynodd hi, gan obeithio na fyddai'n dianc a rhedeg at y ffordd. Am unwaith, roedd Oci'n hynod o barod i gydymffurfio, ac eisteddodd ar y palmant yn aros amdano gan yfed dŵr o'r gwter o gwpan ei llaw. Rhedodd y ddau law yn llaw drwy'r niwl ar hyd y stryd, heibio'r eglwys ac i'r fynwent yr ochr draw.

Y ffordd gyflymaf i fynd i'r gerddi oedd dros wal gefn y fynwent. Doedd y Tad Murphy ddim yn hoffi gweld pobl yn mynd y ffordd honno, ond doedd dim eiliad i'w cholli. Cyn y gallai Harri rybuddio rhywun ynghylch y bom, roedd yn rhaid iddo ddod o hyd i rywle i guddio Oci – a'r unig le y gallai feddwl amdano oedd y gerddi. Roedd rhyw ddwsin o gytiau yno; roedd Harri'n gwybod amdanynt i gyd, ac yn adnabod y lle fel cefn ei law oherwydd bu yno'n aml, gyda bechgyn eraill y côr, yn helpu'r Tad Murphy i dyfu llysiau. Dewisodd y cwt pellaf o'r ffordd, yr un ar y gornel ger ffens y rheilffordd. Hwnnw oedd y cwt mwyaf, gyda ffenest yn edrych allan dros y rheilffordd, ond doedd neb yn ei ddefnyddio bellach oherwydd ei fod yn gollwng dŵr, yn gwegian yn beryglus ac yn gogwyddo i lawr y bryn. Diolch i'r drefn, meddyliodd Harri, doedd y cwt ddim wedi'i gloi.

Caewyd y drws â darn o linyn wedi pydru, a thorrodd Harri hwnnw gyda'r plwc cyntaf. 'Dyma dy gartref di am sbel fach, Oci,' meddai, 'nes y galla i feddwl am rywle gwell.' Neidiodd Oci i fyny ar y fainc ger y ffenest a dechrau cydio mewn gwe pry cop. Dechreuodd ei blasu, ond yn amlwg doedd hi ddim at ei dant. Crychodd ei thrwyn mewn siom neu ddiflastod, a neidio i lawr gan chwilota'n swnllyd ymysg y potiau blodau a'r pentwr o focsys hadau yn y gornel. Chwiliodd Harri am ddarn o gortyn cryf i gau'r drws yn ddiogel, ond methodd ddod o hyd i ddim heblaw pellen o linyn llychlyd. Er ei fod yn denau, roedd digon ohono i wneud cwlwm cryf. Byddai'n rhaid iddo wneud y tro. Gwelodd fod Oci wedi cael hyd i focs o datws had ac roedd wrthi'n brysur yn eu blasu.

Wrth weld y tatws, cofiodd Harri ei fod wedi gadael ei fag ysgol yn y lloches. Byddai'n rhaid iddo fynd i'w nôl. Petai rhywun yn cael hyd iddo byddai pawb yn gwybod ei fod wedi defnyddio'r lloches, a dyna ddiwedd ar ei gyfrinach. Ychydig ddarnau o ddodrefn, pentwr bach o goncars – gallasai unrhyw un fod wedi gadael y rheini yno – ond roedd llyfrau yn ei fag ysgol, a'i enw arnyn nhw. Heb ffarwelio ag Oci, rhag iddi brotestio, i ffwrdd ag o. Clymodd y drws yn gyflym a rhedeg yn ôl drwy'r gerddi. Llamodd dros y wal i'r fynwent a rhedeg, gan osgoi'r cerrig beddau a'r croesau a'r cerfluniau; ond yn sydyn roedd fel petai un o'r cerfluniau'n symud gan ymestyn allan a chydio yn ei fraich.

'A beth ar wyneb y ddaear wyt ti'n ei wneud, Harri Hughes?' Mygodd llais y Tad Murphy y sgrech yng ngwddw Harri. 'Pam nad wyt ti yn yr ysgol? Beth oeddet ti'n ei wneud yn y gerddi? A sawl gwaith rydw i wedi dweud wrthot ti am beidio defnyddio lle sanctaidd Duw fel ffordd fawr?'

'Bom ydi o, Tad Murphy! Bom!' gwaeddodd Harri, yn ceisio tynnu'n rhydd o'i afael.

Daliodd y Tad Murphy ei afael yn dynn ynddo. 'Pa fom? Am beth wyt ti'n sôn, Harri?'

'Welais i o, wir!'

'Dwi *yn* dy gredu di, Harri, ond dwyt ti ddim yn gwneud unrhyw synnwyr o gwbl, a wnei di ddim chwaith nes i ti dawelu dipyn. Beth am i ni fynd i'r festri, a gei di egluro'r cyfan i mi.'

Roedd gan Harri ychydig o amser i feddwl beth i'w ddweud a beth i'w gadw iddo'i hun, ond drwy'r adeg meddyliai am y bag ysgol damniol ar y bwrdd yn ei loches.

'Rŵan, Harri,' meddai'r Tad Murphy, yn tynnu'i

glogyn a'i hysgwyd, 'eistedd yn fan'na a dweda beth sy'n dy boeni di.' Ufuddhaodd Harri.

'Wnewch chi ddim dweud wrth neb, yn na wnewch?'

'Rhyngot ti a fi'n unig mae hyn, Harri,' meddai'r Tad Murphy. 'Mi wyddost ti hynny'n iawn, ond mae hyn yn dechrau swnio fel petait ti wedi gwneud rhywbeth mawr o'i le.'

Prin y gallai Harri wadu hynny. Dechreuodd adrodd ei stori. Roedd y cyfan yn un cawdel carbwl a dryslyd o hanner gwir a hanner ffuglen, a chafodd Harri y teimlad ofnadwy fod y Tad Murphy'n gwybod yn union p'un oedd p'un.

'Mi welais i o, Tad Murphy, ar fy ngwir – yn y tir wedi'i fomio wrth ochr ein tŷ ni. Bom ydi o, yn bendant.'

'Ond ble yn union gest ti hyd iddo fo, Harri? Mae'r lleoliad yn eithriadol o bwysig.'

'Yng nghanol fy lloches i, Tad Murphy.' Doedd o ddim wedi bwriadu dweud yr union air hwnnw, ond llithrodd allan yn anfwriadol.

'Dy loches di?'

'Math o seler ydi hi, yn y tir wedi'i fomio. Dwi'n mynd yno weithiau. Mae'n gyfrinach.'

'Ond dwyt ti ddim i fod i fynd ar gyfyl y fan honno, Harri; does neb i fod i fynd yno. Mae'n lle peryglus ofnadwy. Mi wyddost ti hynny'n iawn. Beth bynnag, wnawn ni ddim poeni am y drosedd fach yna am y tro. Felly mi ddoist ti o hyd i'r bom, ac roeddet ti'n dod i ddweud wrtha i, debyg?' Nodiodd Harri. 'Felly bydd raid i ti esbonio pam roeddet ti'n dod o gyfeiriad hollol wahanol, o gyfeiriad y gerddi.'

'Chwilio amdanoch chi o'n i, Tad Murphy. Ro'n i'n meddwl y byddech chi yn neuadd yr eglwys, ond doeddech chi ddim yno, felly mi ddois i'r ffordd gyflymaf i'r eglwys – trwy'r gerddi.'

'Wela i. Llwybr tarw. Ac rwyt ti hefyd eisio i mi ddweud wrth yr heddlu, mae'n debyg; ond ar yr un pryd mi fyddet ti'n reit falch taswn i ddim yn crybwyll y ffaith mai ti gafodd hyd i'r bom yn y lle cyntaf, a byddai'n well gen ti hefyd taswn i ddim yn sôn am dy loches di?' Nodiodd Harri. 'Wyt ti'n bod yn berffaith onest efo fi, Harri Hughes? Achos os oes rhaid i mi roi fy mhen ar y blocyn dros rywun, mi hoffwn i fod yn siŵr na chaiff ei dorri i ffwrdd, os wyt ti'n deall be dwi'n ddweud.' Doedd Harri ddim yn deall, ond rhoddodd ei air i'r Tad Murphy fod popeth ynghylch y bom yn wir bob gair. 'Iawn,' meddai'r Tad Murphy, gan godi ar ei draed. 'Byddai'n well i ni fynd i chwilio am blisman, felly.'

Gwelsant un ar y ffordd fawr – roedd wrthi'n brysur yn cyfarwyddo'r traffig y tu allan i giatiau'r ysgol ac yn helpu'r plant i groesi'r ffordd.

'Gwnstabl,' galwodd y Tad Murphy o'r palmant, 'gair bach yn eich clust, os gwelwch yn dda.'

'Dwi braidd yn brysur ar y funud, syr,' meddai'r plisman o ganol y ffordd.

'Gallaf eich sicrhau bod hyn yn fater o frys, Gwnstabl,' meddai'r Tad Murphy. Chwifiodd y plisman ei law i symud y drafnidiaeth yn ei blaen, a daeth draw atyn nhw.

'Wel, syr?'

'Mae'n swnio'n annhebygol, Gwnstabl, ond rhaid i mi

gyffesu mod i wedi cyflawni rhyw drosedd fach.'

'Chi, syr?'

'Ie, fi, Gwnstabl. Ro'n i'n cerdded heibio'r tir wedi'i fomio ger Gerddi Bethania – mi wyddoch chi am y safle, mae'n debyg?' Nodiodd y plisman. 'Ac mi glywais sŵn mewian mwyaf ofnadwy. Edrychais i lawr a gweld cath fach yn sownd y tu ôl i'r ffens ac yn crio am ei mam oedd yn oernadu'n sobr ar f'ochr i o'r ffens. Wel, roedd gen i broblem, yn doedd, Gwnstabl? Er mod i braidd yn dew, mi ddringais dros y ffens gan fwriadu, wrth gwrs, cario'r gath fach yn ôl at ei mam. Mi wn i na ddylwn i fod wedi trebasu . . .' Erbyn hyn, roedd y plisman yn dechrau anniddigo. 'Ond wedi dweud hynny, Gwnstabl, meddyliais ei bod yn drosedd gwerth ei chyflawni er lles dynoliaeth. Beth bynnag, rhedodd y creadur ffôl i ffwrdd wrth i mi ddynesu ati a dilynais innau hi. Cornelais hi mewn ryw fath o seler wedi'i bomio, ac wedi peth anhawster llwyddais i gydio ynddi. Ro'n i ar fin mynd oddi yno pan welais y bom.'

'Bom?' Siaradai'r plisman mewn llais rhy uchel, a gwyddai hynny. 'Bom, syr? Ydach chi'n berffaith siŵr, syr?' sibrydodd.

'O ydw, Gwnstabl, dwi'n berffaith siŵr. Dwi'n meddwl mod i'n nabod bom pan wela i un.' Gwrandawodd Harri ar y sgwrs yn llawn rhyfeddod ac edmygedd o'r Tad Murphy.

O fewn chwarter awr roedd y lle'n berwi o blismyn yn curo ar bob drws yn y stryd er mwyn gwagio'r tai. Roedd pawb yn cael eu danfon i neuadd yr eglwys pan glywyd y seirenau, a daeth y fyddin i lawr y ffordd yn eu loriau a'u Landrofars. Wrth edrych dros ei ysgwydd credai Harri ei fod yn gweld dau o'r milwyr yn symud yn y tyfiant y tu hwnt i'r ffens, ac un arall yn torri twll mawr yn y wifren.

Cerddai'r Tad Murphy wrth ei ochr. 'Diolch yn fawr i chi,' meddai Harri.

'A dweud y gwir, Harri,' meddai'r Tad Murphy gan roi ei fraich am ei ysgwyddau, 'mi wnes i eitha mwynhau'r profiad. Wrth gwrs, dyna ydi'r drafferth efo pechod – mae o mor ddamniol o bleserus. Beth bynnag, dim ond pechod bychan oedd o, a dwi'n sicr y cawn ni faddeuant am ambell gelwydd golau bob hyn a hyn, yn enwedig os ydi o'n arbed bywydau. A dwi'n credu y bydd dy gyfrinach fach di'n ddigon diogel rŵan.' Ond gwyddai Harri nad oedd hynny'n wir. Yn hwyr neu'n hwyrach byddai rhywun yn dod o hyd i'w fag ysgol, ac yn holi a stilio – a byddai'n rhaid iddo ateb llu o gwestiynau. Ar ôl edrych yn y bag, bydden nhw'n dod o hyd i'r tatws a'r nionod yn ogystal â llyfrau ysgol. Sut ar wyneb y ddaear fedrai o esbonio pam eu bod nhw yno?

Roedd holl boblogaeth y stryd wedi ymgasglu yn neuadd yr eglwys, ac yn fuan daeth Harri o hyd i'w fam a Tomi a Nain Jenkins, oedd yn ysmygu sigarét yn nerfus.

'Wyddet ti fod y bom yn union drws nesa i ni, Harri?' meddai Nain Jenkins. 'Mi allen ni i gyd fod wedi cael ein chwythu'n rhacs jibidêrs yn ein cwsg. Mae'r peth yn ddychrynllyd!'

Cytunodd Harri. Wrth weld Emyr Griffith yn dod tuag ato, cerddodd Harri oddi wrth ei fam rhag ofn i

Emyr holi pam na fu yn yr ysgol am y ddeuddydd diwethaf. Wrth gwrs, dyna'n union ofynnodd o – ac ar dop ei lais hefyd.

'Dolur gwddw,' meddai Harri mor gryg ag y medrai. 'Gwres uchel.'

'Well i mi gadw draw felly, debyg,' meddai Emyr, gan wenu'n gam. 'Rhag i minnau ei ddal o!' Ac i ffwrdd â fo dan chwerthin.

Roedden nhw wedi bod yn y neuadd am awr neu ddwy pan ddaeth plisman i mewn a chyhoeddi ei bod bellach yn ddiogel i bawb fynd yn ôl i'w cartrefi. Bom ffug oedd o, meddai.

Y bom, wrth gwrs, oedd testun y sgwrs amser te rhwng Mam a Nain Jenkins. Beth fyddai wedi digwydd petai'r bom yn un go iawn? Oedd rhagor o fomiau yno? A phwy oedd wedi cael hyd iddo, beth bynnag? Petaen nhw ond yn gwybod y gwir, meddyliodd Harri, wrth iddo guddio darn o fraster cig o'i swper dan ei gyllell.

'Ga i adael y bwrdd, os gwelwch yn dda?' gofynnodd. Roedd rhyw lygedyn o obaith o hyd nad oedden nhw wedi cael hyd i'w fag ysgol. Roedd yn rhaid iddo gael gwybod, y naill ffordd neu'r llall. Cydiodd Nain Jenkins yn ei gyllell a'i chodi.

'Rhaid i ti fwyta'r cyfan,' gorchmynnodd. 'Mi wyddost ti'n iawn be ydi fy rheolau i.'

'Bwyta fo, cariad,' meddai ei fam. 'Mi wnaiff o les i ti.'

Os oedd Harri am fynd i'w loches, gwyddai y byddai'n rhaid iddo fwyta'i swper i gyd, neu byddai'n cael ei anfon i'w ystafell. Llyncodd y darn o fraster heb ddadlau a gwthio'i blât oddi wrtho.

'Ga i adael y bwrdd rŵan?' gofynnodd. Ac ar hynny agorodd y drws tu ôl iddyn nhw.

'Aros am funud bach, Harri.' Trodd. Dafydd oedd yno, ac roedd dyn arall efo fo. Roedd Harri'n ei adnabod yn iawn – Dyn y Bwrdd Ysgol. Roedd o wedi galw yn y tŷ ddwywaith o'r blaen pan fu Harri'n chwarae triwant; bu'n absennol am wythnos neu fwy y troeon hynny, a dim ond deuddydd roedd o wedi'i golli y tro hwn. 'Edrychwch pwy welais i ar y ffordd adref,' meddai Dafydd gan osod ei friffcês ar y dresel. 'Y ddau ohonon ni'n cyfarfod ar y grisiau y tu allan i'r drws, ac mi ddywedodd stori eitha diddorol wrtha i, yn do, Mr Lewis?'

'Am y bom?' holodd Mam.

'Mi soniodd o am hynny hefyd,' meddai Dafydd. 'Bom ffug oedd o, glywais i; yn union fel rhywun arall dwi'n 'i nabod, rhywun ddim yn rhy bell o fan'ma.' Rhoddodd ei law ar ysgwydd Harri. 'Dwi'n meddwl y byddai'n well i ti godi ar dy draed, Harri. Mae Mr Lewis eisio gofyn ychydig o gwestiynau i ti, ac rydan ni i gyd yn awyddus i glywed yr atebion.'

Sythodd Mr Lewis i'w lawn daldra, a gwthio'i fodiau i bocedi ei wasgod. 'Ddwedais i y byddwn i'n galw eto, yn do Harri?' meddai.

'Dydi o erioed wedi bod yn colli'r ysgol eto?' holodd ei fam. 'Mae o'n cychwyn allan bob bore'n hogyn da ac mae Dafydd yn mynd â fo at giât yr ysgol. Yn dwyt, cariad?'

'Dydi hynny ddim yn ddigon, mae'n debyg,' meddai Dafydd. 'Yn ôl Mr Lewis, dydi Harri ddim wedi bod yn yr ysgol ers deuddydd. Mae dy fab wedi bod allan yn yr holl niwl 'ma, yn crwydro'r strydoedd. Mi allai unrhyw beth fod wedi digwydd iddo fo.'

'Harri,' ochneidiodd ei fam yn dawel. 'O, Harri.' Clywai'r boen yn ei llais.

'Y tro diwetha ro'n i yma, Harri,' meddai Mr Lewis, 'mi ddywedais i fod yn rhaid i ti fynd i'r ysgol, os oeddet ti eisio mynd ai peidio. Ddywedais i hynny, yn do?' Nodiodd Harri. 'Felly pam nad est ti ddim?'

Rhoddodd Harri y bai ar Miss Prosser am bopeth; er nad oedd hyn yn berffaith wir, o leiaf doedd dim rhaid iddo ddweud celwydd. Dywedodd fod arno ormod o ofn mynd i'r ysgol, a daliodd ei law boenus allan fel tystiolaeth. Cydiodd Dafydd yn ei law ac edrych ar y cleisiau. 'Miss Prosser wnaeth hyn?' gofynnodd, gan grychu'i dalcen.

'Efo'i phren mesur,' atebodd Harri.

'Welwch chi hynna, Mr Lewis?' meddai Dafydd.

'Gwelaf wir, Mr Jenkins. Ond dydi o ddim yn esgus, a dydw i ddim ond yn gwneud fy ngwaith. Rhaid i'r bachgen yma fynd i'r ysgol. Does dim rhagor i'w ddweud. Rydw i'n eich rhybuddio chi'n swyddogol mai eich cyfrifoldeb chi, Mr Jenkins, ydi gofalu ei fod yn bresennol bob dydd. Fydd dim rhybudd arall. Ydych chi'n deall?' Trodd i fynd allan. 'Ac mi fydda i'n cadw llygad barcud arnat ti, 'ngwas i,' meddai, gan ysgwyd ei fys ar Harri. Aeth Dafydd ag o at y drws ffrynt.

Dechreuodd Nain Jenkins gwyno'n syth bìn. 'Mae'r hogyn bob amser yn rhoi'r bai ar rywun arall,' meddai. 'Taswn i yn lle Miss Prosser, a'r hogyn yna yn fy nosbarth i, mae'n debyg y byddwn innau wedi gwneud yr un peth. Wedi'r cwbl, be arall allith rhywun ei wneud efo hogyn sy'n palu celwyddau byth a hefyd? Dwi wedi dweud a dweud wrth Dafydd – mae o wedi bod yn rhy ffeind o lawer efo fo. Mae'n rhaid i blentyn gael ei ddisgyblu. Os nad ydi plentyn yn ufuddhau, yna mae'n rhaid ei gosbi. Dwi wedi dweud a dweud wrthoch chi'ch dau.'

Edrychodd mam Harri i ffwrdd. Roedd ei llygaid yn llawn dagrau.

Roedd Dafydd wedi dod yn ôl i mewn i'r ystafell, a chaeodd y drws y tu ôl iddo. 'Dyna ddigon, Mam,' meddai ac eistedd yn flinedig. 'Harri,' meddai, 'mae 'na beryg i mi ddweud pethau wrthot ti rŵan y bydda i'n eu difaru'n nes mlaen. Dwi wedi cyrraedd pen fy nhennyn. Wn i ddim be wnawn ni efo ti, na wn wir. Felly dwi am fwyta fy nhe a meddwl am y peth. Mi fasai'n well i tithau hefyd fynd i dy 'stafell a meddwl. Mi ddo i i fyny atat ti'n nes mlaen.'

Yn ei ystafell, eisteddodd Harri ar erchwyn ei wely a thynnu'r fedal o boced ei drowsus. Chwythodd arni a rhwbio llun pen y brenin ar y gobennydd. Gwyddai nad oedd modd iddo ddianc rhag y bregeth oedd i ddod. O leiaf doedd neb yn gwybod am ei loches – hyd yn hyn, o leiaf – nac am Oci chwaith. Cyn gynted ag y byddai'r bregeth drosodd, gallai sleifio i'r lloches i nôl ei fag ysgol. Petaen nhw wedi cael hyd i'r bag, byddai rhywun wedi dod â fo i'r tŷ erbyn hyn. Mae'n rhaid nad oedd neb wedi'i weld, felly. Neu efallai eu bod wedi dod o hyd i'r bag a meddwl mai dim ond sbwriel o'r tir wedi'i fomio oedd o. Y naill ffordd neu'r llall, doedd dim bai arno fo – hyd yn hyn, o leiaf.

Gorweddai ar ei wely yn meddwl am Oci'n rhynnu yn y cwt. Fedrai hi ddim aros yno am byth. Cyn gynted ag roedd pethau wedi tawelu, byddai'n rhaid iddo'i symud yn ôl i'r lloches. Ie, dyna fyddai'r cynllun gorau.

Clywodd Harri gloch y drws yn canu, a lleisiau pobl wrth y drws ffrynt.

'Mrs Hughes, ie?'

'Mrs Jenkins ydw i erbyn hyn,' meddai mam Harri. 'Mrs Hughes o'n i cynt.'

'O, wela i, madam, wela i. Oes gynnoch chi hogyn o'r enw Harri Hughes?'

'Oes,' atebodd.

'Be sy'n bod?' Dafydd oedd yn gofyn y cwestiwn.

'Yr heddlu sy 'ma, Daf. Yn holi am Harri.'

'Wedi bod yn gneud drygau eto, mae'n debyg,' meddai Nain Jenkins.

Aeth Harri ar flaenau'i draed at ddrws ei ystafell, a'i agor. Ar ôl cropian ar hyd y landin, gorweddodd ar ei fol er mwyn medru sbecian i lawr y grisiau heb i neb ei weld. Dim ond rhan isaf corff y plisman oedd yn y golwg, ond roedd hynny'n ddigon. Suddodd calon Harri wrth weld ei fag ysgol yn ei ddwylo. 'Gawson ni hyd i hwn, ac mae enw Harri arno fo,' meddai.

'Lle oedd o?' holodd Dafydd.

'Wel dyna sy'n od. Mae'n dipyn o ddirgelwch, a dweud y gwir. Tybed ga i ddod i mewn, syr? Mae hi braidd yn oer allan yma.' Caeodd y drws y tu ôl iddo. 'Diolch. Y gwir ydi, syr, nid ni gafodd hyd iddo, ond aelodau o'r fyddin. Roedd o yn y tir wedi'i fomio. Wrth gwrs, rydan ni wedi bod yno'n edrych o gwmpas ar ôl hynny.'

'Y fyddin?'

'Y sgwad difa bomiau. Mi ddaethon nhw â'r bag allan efo nhw ar ôl iddyn nhw symud y bom i le diogel. Roedd o'n amlwg yn perthyn i rywun, medden nhw. Roedden nhw yn llygad eu lle, wrth gwrs.'

'Ond dwi ddim yn deall,' sibrydodd mam Harri.

'Doedden ninnau ddim chwaith, madam. Nac oedden wir, ddim ar y cychwyn. Edrychwch yn y bag.' O'i guddfan, gwelai Harri'r tatws yn ddigon clir. 'Ac mae 'na nionyn i mewn yna hefyd,' meddai'r plisman, 'yng nghanol ei lyfrau ysgol. Od, yntê? Felly, fel dywedais i, mi fuon ni'n chwilota ar ôl i'r fyddin fynd. Mae gan rywun le bach del yn fan'na ar y safle – cadeiriau, byrddau, drych ar y wal. Carped ar y llawr, hyd yn oed. Cartref bach del, bron fel petai rhywun yn byw i lawr yna.'

'Harri,' meddai Nain Jenkins. 'Harri ydi o, mae'n rhaid. Ro'n i'n methu deall i ble roedd o'n mynd drwy'r adeg.'

'Wyddoch chi ddim i sicrwydd mai Harri oedd yno. Sut gwyddoch chi?' gofynnodd ei fam, ei thymer yn codi'n sydyn. 'Rydach chi wastad mor barod i weld bai arno fo. Gallai'r lle fod yn lloches i unrhyw un – crwydryn, efallai.'

'Wrth gwrs, madam, fel dach chi'n dweud, gallai unrhyw un fod yn defnyddio'r lle. Ond pam yn y byd roedd bag ysgol Harri yno? Dyna beth hoffwn i wybod.

Mi gawson ni hyd i ychydig o bethau eraill yna hefyd, a hoffwn i chi gael cip arnyn nhw. Ambell gerdyn sigarét, er enghraifft.' Gwelai Harri'r cardiau yn llaw'r plisman.

'Fo biau nhw'n ddigon siŵr,' meddai Dafydd. 'Mae o'n casglu'r rheina.'

'Roedd tipyn o blu ar hyd y lle, a marblen neu ddwy, ac yna mi gawson ni hyd i'r rhain.' Tyrchodd y plisman i waelod ei boced a thynnu dyrnaid o goncars allan. 'Does dim byd yn od yn hynny, allech chi feddwl, heblaw bod ôl dannedd ar bob un ohonyn nhw. Mae rhywun, neu rywbeth, wedi bod yn eu cnoi.'

'Rhywbeth?' meddai mam Harri. 'Be dach chi'n feddwl, "rhywbeth"?'

'Wel, madam, fedrwn ni ddim bod yn sicr ar hyn o bryd, ond mae'r concars yma wedi bod yn y popty, ac yn galed fel craig. Prin y gallech chi a fi frathu drwy goncar mor galed, yntê? Ond mae rhai o'r rhain wedi cael eu brathu yn eu hanner. Edrychwch drosoch eich hun. Rydan ni'n credu, madam, bod eich mab wedi bod yn cadw rhyw fath o anifail anwes i lawr yna – ac mae gynnon ni syniad go lew beth oedd o.' Dechreuodd mam Harri brotestio y gallasai fod yn wiwer. 'Nid concars yn unig sy 'na, madam. Gawson ni hyd i ddail cabatsien, crwyn tatws a nionod. Ac . . . ahem . . . gadewch i ni ddweud bod rhagor o dystiolaeth, madam, fod anifail wedi cael ei gadw yno.'

'Ddwedsoch chi fod gynnoch chi syniad pa fath o anifail oedd o,' meddai Dafydd.

'Tsimpansî, syr. Rydan ni'n meddwl bod Harri wedi

bod yn cadw tsimpansî yno.'

'Ond tydyn nhw ddim yn anifeiliaid peryglus?' holodd mam Harri.

'Maen nhw'n gallu bod yn beryglus pan fyddan nhw'n hŷn,' atebodd y plisman, 'ond un ifanc ydi hon, ac wedi'i hyfforddi'n dda. Mi aeth ar goll o'r syrcas ychydig ddyddiau'n ôl. Wedi'i dwyn, efallai, neu wedi dianc – wyddon ni ddim. Y cyfan wyddon ni ydi fod perchennog y syrcas, Mr Blondini – Eidalwr ydi o, dwi'n credu – yn awyddus iawn i'w chael hi'n ôl. Rydan ni wedi chwilio ym mhobman, ond doedd dim golwg ohoni – tan rŵan.'

'Brensiach y bratiau!' ebychodd Nain Jenkins mewn syndod. 'Harri oedd yn gyfrifol, mae'n rhaid. Dach chi'n gweld, mi es i â fo i'r syrcas – ychydig wythnosau'n ôl erbyn hyn, y noson y ganwyd Tomi – a dwi'n cofio ei fod o wrth ei fodd efo'r tsimpansî bach, yn chwifio ac yn galw arno fo bron fel petai'n ei adnabod. Dwi'n cofio meddwl ar y pryd bod hynny'n beth od.' Bu tawelwch hir.

'Na!' gwaeddodd mam Harri. 'Na! Mae'n amhosib. I ddechrau, sut aeth Harri i'r safle? Mae'r ffens yn llawer rhy uchel iddo allu'i dringo hi. Fedrai o ddim bod wedi gwneud.'

'Wel, dyna fyddech chi wedi'i feddwl, madam,' meddai'r plisman, 'ond mi ddringodd y Tad Murphy drosti. Y fo gafodd hyd i'r bom yn y lle cyntaf – roedd o wedi mynd yno i achub cath fach. Rydan ni'n meddwl bod eich Harri chi yno efo'r tsimpansî, a'u bod nhw wedi dianc pan glywson nhw'r Tad Murphy'n dod. Rydan ni'n meddwl hefyd bod gan eich mab ffordd haws o fynd i mewn ac allan o'r safle. Dwn i'm a wyddoch chi, ond mae 'na dwll yn wal eich seler – twll bach ydi o, ond yn hen ddigon mawr i fachgen ddringo drwyddo. Roedd cist dun wedi'i gwthio yn erbyn y twll ar eich ochr chi o'r wal, fel math o ddrws a dweud y gwir, ac rydan ni'n meddwl mai dyna sut roedd o'n mynd i mewn ac allan. Mae gynnoch chi seler yma, oes, madam?'

'Oes,' meddai Dafydd, 'drwy'r drws yna, ond mae'r lle dan glo drwy'r adeg.'

'A'r allwedd?'

'Yn y cwpwrdd yn y twll-dan-grisiau.'

'Gwell i ni gael golwg, felly, syr. I wneud yn siŵr, yntê?'

Clywodd Harri'r allwedd yn troi yn y clo. Roedd o eisoes wedi penderfynu rhedeg i ffwrdd. Doedd ganddo ddim dewis arall. Am eiliad frawychus, arhosodd Nain Jenkins ar ôl yn y lobi gan ei rwystro rhag dianc drwy'r drws ffrynt. Yna, gan gwyno wrthi'i hun mai un drwg oedd Harri, dilynodd y lleill i lawr grisiau'r seler. Cripiodd Harri i lawr y grisiau fesul modfedd, gan gadw'n agos at y wal lle roedd y wich yn dawelach. Plyciodd ei gôt a'i sgarff oddi ar y bachyn ac agor y drws ffrynt yn araf. Clywai'r lleill yn llusgo'r gist o'r neilltu yn y seler, a sŵn ei fam yn crio. Caeodd y drws cyn ddistawed ag y gallai, a rhedeg.

Doedd dim modd i lampau'r stryd daflu unrhyw oleuni drwy fwrllwch trwchus y niwl. Gwyddai fod pedair ar hugain o lampau rhwng ei gartref a'r eglwys – roedd wedi'u cyfrif yn ddigon aml – a chyfrodd nhw rŵan wrth ruthro heibio pob un. Yn y niwl byddai'n ddigon hawdd iddo redeg heibio'r eglwys heb hyd yn oed ei gweld. Ceisiodd osgoi'r wraig â'i basged siopa ond roedd yn rhy hwyr. Aeth ar ei ben iddi, gan daro'r fasged o'i dwylo. Clywodd y rhegfeydd ac yna'r tuniau'n rholio ar hyd y palmant wrth iddo redeg nerth ei draed.

Arafodd i gerdded drwy'r fynwent a dilyn wal yr eglwys yn glòs. Er mai hwn oedd y llwybr hiraf at y gerddi, doedd o ddim eisiau mentro cyfarfod â'r Tad Murphy y tro hwn. Clywodd drên anweledig yn chwibanu wrth bwffian heibio'r gerddi. Neidiodd Harri dros wal y fynwent, a rhedeg yn ei flaen nes cyrraedd y cwt.

'Dim ond fi sy 'ma, Oci,' sibrydodd drwy'r drws. '*Va bene. Va bene.*' Stryffagliodd Harri i ddatod y llinyn. Tynnodd ar y cwlwm olaf pryfoclyd nes i hwnnw dorri, ac agorodd y drws. Aeth i mewn yn araf, yn siarad drwy'r adeg rhag dychryn Oci. Disgwyliai glywed siffrwd o'r gornel, neu hwtian isel i'w groesawu, efallai. Doedd dim smic i'w glywed yn unman. Yn sydyn, crensiodd ei draed ar wydr wedi torri. Edrychodd draw at y ffenest y tu draw i'r fainc waith. Roedd honno wedi torri, ac un cwarel o'r gwydr ar goll yn gyfan gwbl. Dringodd Harri i fyny a phwyso allan drwy'r ffenest, ond doedd dim golwg o Oci yn unman. Gorweddai'r gwydr ar y ddaear, a theimlai'r fainc yn ludiog dan ei law. Sniffiodd ei fysedd – arogl gwaed oedd o, roedd hynny'n sicr.

Bellach, doedd Harri ddim yn malio botwm corn ynghylch cael ei ddal. Yr unig beth pwysig oedd dod o hyd i Oci. Rhedodd o gwt i gwt drwy'r gerddi yn galw arni ac yn aros bob hyn a hyn i wrando. Ond doedd dim i'w glywed heblaw sŵn y trenau, a dwndwr y traffig ar y ffordd fawr. Yn y fynwent, pwysodd yn erbyn wal yr eglwys i gael ei wynt yn ôl ac i hel ei feddyliau. Beth oedd Oci'n debygol o'i wneud? I ble yr âi hi o'r fan hon? Y tir wedi'i fomio oedd yr unig le posibl. Doedd hi ddim yn gyfarwydd ag unman arall, a gwyddai'r ffordd yno. Yno roedd hi, mae'n rhaid.

Roedd Harri'n rhedeg i lawr y llwybr a arweiniai o ddrws yr eglwys pan glywodd hwtian tawel y tu ôl iddo, a throdd ar unwaith. Roedd drws yr eglwys ar agor – safai Oci yno, ac un llaw ar y glicied. Rhedodd Harri tuag ati, gan sylweddoli ar unwaith bod hynny'n gamgymeriad. Sgrechiodd Oci a sgrialu'n ôl i mewn i'r eglwys. Dilynodd Harri hi i mewn. Doedd hi ddim wedi mynd yn bell. Eisteddai yn y bedyddfaen yn union y tu mewn i ddrws yr eglwys.

'Ty'd 'laen, Oci,' meddai'n dawel. '*Va bene, va bene*. Fi sy 'ma. Paid â bod ofn. Harri sy 'ma.' Crafodd Oci ei hysgwydd a syllu arno am rai munudau cyn ymestyn i fyny a gafael yn y trawst uwch ei phen. Gwyliodd Harri'n ddiymadferth wrth iddi hongian gerfydd troed a llaw o ganllaw'r galeri uwchben. Edrychodd i lawr arno a hwtian, a'r sŵn yn atseinio drwy'r eglwys. 'Oci,' sibrydodd Harri, 'mae'n rhaid i ti wrando arna i; mae'n rhaid i ti drio deall. Maen nhw ar ein holau ni a rhaid i ni ddianc o'r lle 'ma. Ty'd i lawr, Oci, os gweli di'n dda. *Va bene, va bene*.' Chymerodd Oci ddim sylw, a chodi'i hun i fyny ar y rheilen. Cerddodd ar ei hyd a neidio i lawr i res flaen y seddau ar yr ochr arall. Am rai munudau diflannodd yn gyfan gwbl cyn ailymddangos ar ben draw'r rhes lle cododd ar ei thraed a churo'i dwylo, yn amlwg wrth ei bodd efo'i sgiliau acrobatig.

Symudodd Harri tuag at y drws a arweiniai i'r galeri ac yna i'r clochdy uwchben. Dringodd y grisiau cul, troellog yn araf, a phan aeth drwy'r drws i mewn i'r galeri roedd Oci'n aros amdano ar ei phedwar gan floeddio'i chroeso. Dringodd ar gorff Harri a bachu'i braich o amgylch ei ysgwyddau. Llyfai gledr ei llaw dde drosodd a throsodd, gan gwyno'n ddistaw. 'Frifaist ti ar y gwydr 'na, yn do?' meddai Harri, gan geisio edrych ar ei llaw. Er na fedrai weld yn dda iawn, gallai deimlo ei bod yn dal i waedu. 'Mae'n rhaid i ni olchi dy law di, Oci – ond rhaid i ni fynd o fan'ma i ddechrau.'

Roedden nhw hanner y ffordd i lawr y grisiau pan glywodd Harri bobl yn siarad. Roedd yn adnabod lleisiau dau ohonyn nhw – Miss Prydderch, yr organyddes, a'r Tad Murphy – ond roedd yna lawer mwy na hynny. Daeth goleuadau'r côr ymlaen a chlywodd Harri'r organ yn dechrau canu. Daeth bwrlwm o leisiau cyffrous o gyfeiriad seddau'r côr ym mhen draw'r eglwys, a llais y Tad Murphy'n taranu: 'Dyna ddigon, fechgyn. Dach chi'n swnio fel haid o fwncïod. Ydw, dwi'n gwybod am y tipyn cyffro. Roedd 'na fom yna a rŵan mae o wedi mynd, a dyna ddiwedd ar y peth. Pawb yn barod? Reit, mi gychwynnwn ni.'

Wrth gwrs! Roedd hi'n nos Wener – amser ymarfer côr. Os byddai Oci'n dechrau hwtian neu sgrechian, byddai popeth ar ben. Pan fyddai'r côr yn canu, meddyliodd Harri, gallai Oci ac yntau gyrraedd drws yr eglwys – cyn belled â'u bod yn cadw o'r golwg y tu ôl i'r seddau. Gwyddai o brofiad mai ychydig iawn oedd i'w weld o seddau'r côr gan ei bod mor dywyll yng nghefn yr eglwys. Arhosai nes i'r canu gychwyn. Eisteddodd ar y gris isaf gan gydio yn Oci cyn dynned ag y meiddiai.

'Ydi pawb yma?' gofynnodd y Tad Murphy.

'Dydi Harri ddim,' meddai Emyr Griffith, 'mae ganddo fo ddolur gwddw. Dyna ddwedodd o wrtha i, o leiaf.' Daeth si o chwerthin o gyfeiriad y côr, nes i'r Tad Murphy ofyn am dawelwch.

'Felly'n wir? Wel, bydd raid i ni gychwyn hebddo. Mi ddechreuwn ni efo "Henffych, Wych Sant Padrig", i roi cyfle i chi lacio'r gwddw a chynhesu'r llais.'

'*Va bene, va bene*, Oci,' sibrydodd Harri, gan weddïo'n daer bod hud y geiriau hynny'n dal yn gryf. 'Dim smic, os gweli di'n dda.'

Roedd y côr wedi canu dwy linell gyntaf yr emyn cyn i Harri symud. Roedd ei ben allan drwy'r drws, ac yntau yn ei gwrcwd yn barod i redeg, pan welodd Dafydd yn brasgamu i mewn trwy ddrws yr eglwys. Fferrodd Harri yn yr unfan. Cerddodd Dafydd i fyny llwybr canol yr eglwys a rhoi ei law ar ysgwydd y Tad Murphy. Daeth y canu i ben ar unwaith, ond aeth cerddoriaeth yr organ yn ei blaen am funud neu ddau arall cyn tewi. Siaradai'r ddau ddyn bymtheg y dwsin wrth gerdded yn ôl tuag at Harri ac Oci. Roedd y côr y tu ôl iddyn nhw'n gwneud cymaint o sŵn fel mai dim ond pytiau o'u sgwrs a glywai Harri, ond deuai eu lleisiau'n gliriach wrth iddyn nhw nesáu ato.

'Mi redodd o i ffwrdd, Tad Murphy,' meddai Dafydd. 'Does gynnon ni ddim syniad ble gallai o fod, dim syniad o gwbl. Mae'r heddlu'n chwilio amdano fo – ond yn y niwl trwchus 'ma dydan ni ddim yn debygol o ddod o hyd iddo fo heb ryw syniad ble i edrych. Mi ddois i yma rhag ofn eich bod chi wedi digwydd ei weld.' Ddywedodd y Tad Murphy 'run gair. 'Mae o'n meddwl y byd ohonoch chi, Tad Murphy. Rydan ni'n gwybod hynny. Mae o'n fodlon siarad efo chi.' Erbyn hyn, doedden nhw ond ychydig droedfeddi oddi wrth Harri. 'Dydi o'n dweud dim wrtha i, wyddoch chi – fy mai i ydi hynny, mi wn i – ond dydi o'n dweud fawr ddim wrth neb arall chwaith, ddim hyd yn oed ei fam. Ond ro'n i'n meddwl fallai ei fod o wedi dweud rhywbeth wrthoch chi.'

'Am beth yn hollol?' holodd y Tad Murphy.

'Wel, chredwch chi byth, ond yn ôl pob sôn mae Harri wedi bod yn gofalu am ryw dsimpansî – yn ei chadw fel anifail anwes i lawr yn y tir wedi'i fomio ger ein tŷ ni, lle cawsoch chi hyd i'r bom ddoe.'

Rhoddodd y Tad Murphy ei law ar ysgwydd Dafydd.

'Mair Fendigaid,' sibrydodd. 'Tsimpansî, ddwedsoch chi?' Nodiodd Dafydd. 'Be ydw i wedi'i wneud?' meddai'r Tad Murphy. 'Be ydw i wedi'i wneud?' Trodd at y côr. 'Dyna'r cyfan am heno, fechgyn. Bydd raid i ni ganu yn y gwasanaeth ddydd Sul heb ymarfer. Fydd o mo'r tro cyntaf. Brysiwch! Brysiwch! I ffwrdd â chi. Mae gen i bethau i'w gwneud. Miss Prydderch, wnewch chi gloi os gwelwch yn dda?' Trodd at Dafydd. 'Mr Jenkins, fedra i ddim egluro ar hyn o bryd, ond rydw i wedi bod braidd yn annoeth . . . na, byddai "hurt" yn well gair. Dwi'n credu ei bod yn hen bryd i mi wneud iawn am yr hyn wnes i. Mae gen i syniad go lew lle mae eich llysfab yn cuddio. Yn y gerddi. Mae 'na ddigon o lefydd yno i guddio dwsin o dsimpansîs. Mi welais i o'n dod oddi yno'n gynharach y pnawn 'ma, yn rhedeg fel cath i gythraul, os gwnewch chi esgusodi'r ymadrodd. Dowch efo fi. Ddangosa i i chi.'

Roedd y côr wedi mynd, a Miss Prydderch wedi gadael yr eglwys i'w thawelwch gwag arferol. Daeth Harri allan drwy'r drws yn cydio yn llaw Oci.

'Jiwdas ydi o,' meddai Harri, y dagrau'n llifo i lawr ei wyneb. 'Jiwdas ydi o, fel pawb arall. Does gynnon ni neb rŵan, Oci. Neb ond ti a fi.'

PENNOD SAITH

Dim ond llewyrch gwan lampau'r gysegrle oedd yn goleuo rhywfaint ar y tywyllwch o'u cwmpas wrth i Harri deimlo'i ffordd at ddrws yr eglwys. Roedd llygedyn bach o obaith fod Miss Prydderch wedi anghofio'i gloi'n iawn. Wedi'r cyfan, hen greadures ffwndrus oedd hi – yn aml yn chwarae pennill ychwanegol o emyn, neu un yn llai. Ond na, roedd y drws wedi'i gloi'n gadarn. Doedd hynny ddim yn poeni Harri chwaith – gwyddai fod ffenest yn y festri. Er ei bod hi braidd yn fach, ac yn uchel uwchben y ddaear, gallai neidio i lawr petai raid iddo, roedd yn sicr o hynny. Gan gydio yn llaw Oci, cerddodd i gyfeiriad y festri. Tynnodd Harri yr allwedd o'r clo, ac ar ôl i'r ddau fynd i mewn clodd y drws y tu ôl iddyn nhw. Teimlai'n fwy diogel felly. Roedd yn rhaid iddo ddringo'r silffoedd i gyrraedd y ffenest.

Cyn gynted ag yr agorodd y ffenest clywodd Harri'r lleisiau. Roedden nhw'n eithaf pell oddi wrtho, ond yn dod yn nes. Dawnsiai goleuadau fflachlampau'n wan drwy'r niwl tywyll. Ar y dechrau, meddyliai Harri mai brigau'n rhwbio yn erbyn ffenest gyfagos oedd y gwichian a glywai. Ond yna clywodd sŵn anadlu trwm a gwelodd gŵn yn tynnu ar eu tennyn, eu trwynau'n dilyn y ddaear. Caeodd y ffenest a phlygu i lawr gan gau'r sŵn allan. Cododd Oci yn ei freichiau, a gosod ei ddwylo dros ei chlustiau rhag iddi glywed y cŵn. Cydiodd y ddau yn ei gilydd yn y tywyllwch wrth i'r sŵn traed fynd heibio o dan y ffenest.

'Does dim byd fan hyn, Sarjant. Dydi'r cŵn dim yn codi unrhyw drywydd,' meddai rhywun.

'Chwilio pob modfedd o'r fynwent, dyna ddwedodd yr Arolygwr,' meddai llais arall, 'a dyna beth wnawn ni. Rhaid i ni fod yn gwbl sicr nad ydyn nhw yma.'

Yna, fe aeth y lleisiau i ffwrdd. Rhoddodd Harri Oci ar y llawr a'i gadael yn rhydd. Feiddiai o ddim cynnau cannwyll, hyd yn oed efo'r llenni wedi'u cau. Byddai'r mymryn lleiaf o olau'n eu bradychu. 'Bydd raid i ni aros yma am dipyn, Oci,' sibrydodd. 'Mae 'na ddwsinau o bobl a chŵn allan yn fan'na. Os gallwn ni gadw'n ddistaw, yn hwyr neu'n hwyrach mi ân' nhw i chwilio yn rhywle arall.' Erbyn hyn, roedd ei lygaid yn cynefino â'r tywyllwch, a gallai weld rywfaint yn well.

Roedd Oci wedi agor cwpwrdd y Tad Murphy ac wrthi'n archwilio'r canhwyllau. Rhoddodd gynnig ar eu harogli, yna eu cnoi, ac yn olaf defnyddiodd nhw fel ffyn curo drwm ar ddrws y cwpwrdd nes i Harri eu cymryd oddi arni. Gwyddai, fodd bynnag, y byddai'n rhaid iddo feddwl am ryw ffordd i'w chadw'n ddiddig ac yn ddistaw. Bwyd oedd yr unig beth oedd yn sicr o wneud hynny. Cadwai'r Tad Murphy fisgedi *digestive* yn y tun llefrith sych ar y silff ben tân, ac yn fuan roedd Harri wedi perswadio Oci i eistedd ar gadair i fwyta bisgedi. Diolch byth, roedd digon ohonyn nhw. Cyn belled â bod Oci'n cael dwy fisged ar y tro, roedd hi'n ddigon bodlon eistedd yno gan gynnig tamaid i Harri bob hyn a hyn. Pan oedd hi'n dechrau aflonyddu, siaradai Harri efo hi, gan ychwanegu sawl '*va bene*' at bopeth a ddywedai wrthi.

'Be wnawn ni, Oci?' meddai. 'Hyd yn oed os awn ni allan o fan'ma, ble'r awn ni? Does gynnon ni ddim bwyd, a does gen i ddim arian i brynu peth. Fedrwn ni ddim mynd adref, mae hynny'n sicr. Beth bynnag, dydw i byth eisio mynd adref eto, Oci. Byth. Fydd Mam ddim yn fy ngholli i, rŵan mae Tomi ganddi hi. Doedd hi ddim yn arfer bod fel yna, Oci. Ar y Dafydd 'na mae'r bai. Mae hi'n wahanol ers iddi'i gyfarfod o, ac mae hi'n meddwl ei fod o'n wych – dwn i ddim pam. Mae o wastad yn dweud wrtha i "gwna hyn" a "gwna'r llall". Dydi o'n ddim o'i fusnes o, nac ydi? Dydw i ddim yn fab iddo fo. Does 'na ddim cysylltiad rhyngddon ni, nac oes? Wyddost ti beth oedd o'n ei wneud yn y rhyfel, Oci? Conshi oedd o – doedd o ddim eisio ymladd. A wyddost ti pam, Oci? Cachgi ydi o. Dyna pam. Gyrru ambiwlans oedd ei waith o. Dwyt ti ddim yn ennill rhyfel wrth yrru ambiwlansys, a dwyt ti ddim yn cael medal chwaith, nac wyt?'

Tynnodd Harri fedal ei dad o'i boced. 'Croes am ei wasanaeth fel llywiwr awyren ydi hon. Medal fy nhad.' Ymestynnodd Oci tuag at y fedal, ond cadwodd Harri hi'n ddigon pell. 'Mi geisiodd Dafydd 'i chymryd hi oddi arna i unwaith, Oci. Dweud bod Mam yn ei thrysori hi, ac y byddwn i'n ei cholli wrth ei chario o gwmpas efo fi, ond nid dyna oedd y rheswm go iawn. Cenfigennus oedd o, dyna'r gwir. Mi guddiodd y fedal yn nrôr ei ddesg, ond mi ddois i o hyd iddi a'i rhoi yn fy lloches i'w chadw'n saff. A doedd o ddim eisio'r llun o Dad yn yr ystafell fyw chwaith. Glywais i Mam a Dafydd yn dadlau am hynny. Dywedodd o nad oedd yn llesol i mi dyfu i fyny efo ysbryd fy nhad yn yr ystafell. Roedd o eisio i mi anghofio Dad – er mwyn iddo *fo* gael bod yn dad i mi. Ond wna i byth anghofio, waeth be mae Dafydd yn ei wneud. Dwi'n casáu Dafydd, Oci. Mae'r Tad Murphy yn dweud bod hynny'n beth drwg, ond does gen i mo'r help. Beth bynnag, pam y dylwn i falio be mae'r Tad Murphy'n ei ddweud bellach? Mae o ar eu hochr nhw, yn tydi? Yn wahanol i ti. Rwyt ti ar f'ochr i, yn dwyt ti, Oci?'

Cynigiodd Oci friwsion o'i bisged i Harri a chymerodd yntau nhw. 'Dyna'r cyfan dwi'n gael?' meddai, gan ddal ei law allan am ragor. 'Dwi'n hoffi bisgedi *digestive*. Ro'n i'n arfer cael rhai gan Anti Enid yn y Rhyl. Dyna ble'r aeth Mam a fi am wyliau, a dyna lle y cyfarfu hi a Dafydd – ar y pier yn y Rhyl. Ond mae Anti Enid yn glên, Oci. Roedd hi'n fy hoffi i. Petai hi wedi cael mab, byddai wedi hoffi bachgen yn union fel fi. Dyna ddywedodd hi.'

Ysgydwyd y ffenest yn ei ffrâm wrth i drên stêm ruthro heibio mor gyflym fel mai prin y sylweddolodd Harri mai curiad yr olwynion ar y rheiliau oedd y sŵn cyn iddo ddiflannu i'r pellter. 'Ar drên fel'na yr aethon ni i'r Rhyl,' meddai. 'Dydi hi ddim yn daith bell.'

Tan y munud hwnnw, doedd y syniad ddim wedi

croesi'i feddwl, ond rŵan cydiodd ynddo'n llawn brwdfrydedd. 'Dyna'r ateb, Oci!' meddai, braidd yn rhy uchel. 'Anti Enid! Mi awn ni i weld Anti Enid. Mi fydd hi'n siŵr o edrych ar ein holau ni. Roedd hi wastad yn dweud y byddai'n fy helpu i petai gen i broblem. Do, mi ddywedodd hi. Yr un rheilffordd ydi hi, Oci; mae hi'n mynd yn union heibio'r eglwys. Dwi wedi sefyll ar y bont yn gwylio'r trenau ddwsinau o weithiau. Pan fydd y signal i fyny, mae'r trên yn rhuthro drwodd fel honna. Ond pan fydd y signal i lawr, mae'r trên yn stopio am ychydig cyn cyrraedd y bont. Y cyfan mae'n rhaid i ni ei wneud, Oci, ydi bod yno pan fydd un o'r trenau'n aros, ac awr neu ddwy'n ddiweddarach mi fyddwn ni yn y Rhyl. Mi fedrwn ni fynd yno heb ddim trafferth, Oci. Medrwn! Ac mi fyddi di wrth dy fodd efo Anti Enid. Gawn ni aros efo hi gyhyd ag y mynnwn ni. Mi ddywedodd hi hynny ar ei cherdyn Dolig y llynedd. Mae hi wedi fy ngwahodd i, Oci.' Sythodd Oci yn sydyn. Roedd hi wedi clywed rhywbeth a dechrau cwyno. Yna clywodd Harri y sŵn hefyd. '*Va bene*,' sibrydodd wrthi. '*Va bene*.'

Agorwyd drws yr eglwys led y pen, a llifai'r golau o'r côr i mewn dan ddrws y festri. Roedd y Tad Murphy yn siarad efo rhywun.

'Does dim posib iddyn nhw fod i mewn yma,' meddai. 'Mi wnaeth Miss Prydderch gloi'r lle ar ôl yr ymarfer côr, ac yn sicr doedd o ddim yma bryd hynny.'

'Hoffen ni wneud yn berffaith siŵr, Tad Murphy,' meddai llais arall. 'Mi edrychwn ni o gwmpas, os gwelwch yn dda.'

'Wrth gwrs,' meddai'r Tad Murphy, 'ond ddewch chi ddim o hyd i unrhyw beth.'

Gwrandawodd Harri'n astud wrth y drws ar y sŵn traed yn mynd i lawr llwybr canol yr eglwys ac yna'n ôl tuag atyn nhw.

'Be sy i mewn yn fan'na?' Roedd y llais yn agos erbyn hyn, yn union yr ochr arall i'r drws.

'Y festri.' Swniai'r Tad Murphy yn bigog. Ceisiodd rhywun agor y drws, a methu. 'Dan glo?' meddai'r Tad Murphy. 'Dydi o ddim yn cael ei gloi fel arfer. Symudwch i mi roi cynnig arno.' Tynnodd Harri Oci'n nes ato, mwytho'i phen a chosi y tu ôl i'w chlustiau. Roedd hi'n llawn tensiwn yn ei freichiau, yn gwrando ar bob smic.

'Mae hynna'n nodweddiadol o Miss Prydderch,' chwarddodd y Tad Murphy. 'Os ydi hi i fod i gloi, mi fydd hi naill ai'n anghofio'n gyfan gwbl neu'n cloi pob drws yn y lle. Dwi'n cofio iddi nghloi i i mewn yna unwaith, tra o'n i'n bwyta fy nhe.'

'Mi ddylwn i edrych i mewn yna, y Tad Murphy. Gofynnwyd i ni chwilio ym mhob twll a chornel.'

'Croeso i chi edrych. Mae gen i allwedd arall yn y tŷ, ond dydy'r ddau ddim yn debygol o fod yna, nac ydyn? Os ydi'r lle dan glo i ni, mi fydd 'run fath iddyn nhw hefyd, yn bydd? Mae'n anodd gen i gredu eu bod nhw wedi llwyddo i fynd drwy un drws wedi'i gloi, heb sôn am ddau. Byddai hynny'n wyrth, dach chi ddim yn cytuno? Dwi'n gredwr cryf mewn gwyrthiau, ond byddai hynny y tu hwnt i'm hygrededd i hyd yn oed. Yn fy marn i,' meddai'r Tad Murphy, gan gerdded oddi wrth y drws, 'bydd Harri Hughes wedi hel ei draed ymhell cyn hyn. Petaech chi'n ei le o, fyddech chi'n stelcian o gwmpas yng nghanol yr holl halibalŵ yma?'

'Na fyddwn, mae'n debyg.'

'Wel dyna chi, felly,' meddai'r Tad Murphy. 'Ar eich ôl chi.' Clywodd Harri ddrws yr eglwys yn cau, ac anadlodd yn rhydd unwaith eto.

Wrth i'r amser fynd heibio, er gwaethaf ei holl ymdrechion i'w chadw'n ddistaw, dechreuodd Oci hwtian yn ddigon uchel i rywun y tu allan i'r eglwys allu ei chlywed. Ond doedd dim y gallai Harri ei wneud ynghylch hynny. Bob ychydig funudau dringai ar y silff i wrando wrth y ffenest, ac roedd synau'r dynion a'r cŵn wedi hen fynd. Ond roedd yn rhaid iddo fod yn berffaith sicr, felly penderfynodd aros nes i gloc yr eglwys daro deg cyn mentro symud. Erbyn hyn gwyddai pa drenau fyddai'n aros wrth y signal ger y bont. Clywai'r hisian a'r clindarddach o bell, ac yna gwich haearn ar haearn wrth iddyn nhw stopio'n union y tu allan i'r eglwys. Petai'r signal yn aros i lawr am ddigon o amser, credai Harri'n siŵr fod digon o gyfle iddo fo ac Oci fynd allan drwy ffenest y festri, rhedeg ar draws at ffens y rheilffordd a dringo drosti.

O'r diwedd, tarodd y cloc ddeg o'r gloch, ac roedd Harri'n barod. 'Rhaid i ti gadw'n glòs ata i, Oci,' meddai. 'Ac er mwyn y nefoedd, paid â rhedeg i ffwrdd a difetha popeth. *Va bene. Va bene.*'

Gydag Oci ar y sil wrth ei ochr, agorodd Harri'r ffenest ac aros am glonc y signal yn syrthio a sŵn y trên nesaf yn y pellter. Rhuodd un trên cyflym heibio, yna clywodd y signal yn disgyn, ac o gryn bellter i ffwrdd clywodd sŵn trên yn arafu. 'Mi a' i gynta, Oci,' meddai. Rhoddodd un goes allan o'r ffenest a thynnu gweddill ei gorff drwyddi. Cael a chael oedd hi, gan fod y gofod mor gyfyng. Arhosodd i Oci ymuno ag o ar y sil ffenest y tu allan, yna cydiodd yn ei llaw a neidio. Roedd yn llawer pellach i lawr nag roedd o wedi tybio, a disgynnodd yn drwsgl ar y ddaear. Rowliodd Oci drosodd cyn codi ar ei thraed a phrancio o gwmpas, wrth ei bodd â'i rhyddid newydd. Gorweddodd Harri yn ei unfan yn ceisio mygu'r floedd o boen a godai y tu mewn iddo. Gafaelai yn ei ffêr gan riddfan mewn poen.

Ar y cychwyn roedd Oci'n meddwl mai chwarae oedd Harri, a dechreuodd reslo efo fo nes cafodd Harri'r nerth i'w gwthio i ffwrdd a thynnu'i hun ar ei draed. Eisteddodd Oci'n bwdlyd o dan y coed, yn crafu'i hun, fel petai Harri wedi brifo'i theimladau wrth ei gwrthod. Wnâi hi ddim hyd yn oed edrych arno. '*Va bene, va bene*,' meddai Harri, gan amneidio arni i ddod yn ôl ato. Gwrthododd gydio yn ei law, ond bodlonodd ar ddilyn Harri drwy'r coed ac i lawr at ffens y rheilffordd. Doedd dim rhaid gofyn iddi ei dringo – roedd hi'n hongian o'r brig cyn i Harri ddechrau dringo hyd yn oed. Gwelai Harri fwg gwyn y trên yn pwffian tuag atynt drwy'r niwl, yr olwynion yn rhygnu i stop. Dim ond ag un droed y gallai Harri ddringo, a thynnodd ei hun i fyny gerfydd ei ddwylo gan na allai roi unrhyw bwysau ar y droed arall. Roedd dringo dros y ffens, ac i lawr yr ochr arall, yn waith araf a phoenus. Ond o'r diwedd glaniodd Harri ar y ddaear a gwelai'r trên yn chwythu stêm yn y tywyllwch o'i flaen.

Doedd hisian ac ochneidio'r injan ddim yn codi ofn o gwbl ar Oci. Yn hytrach, roedd fel petai hi wrth ei bodd ac yn llawn cyffro. Roedd hi'n hwtian ac yn sgrechian wrth sgrialu i lawr y llethr tuag at y trên. Herciodd Harri ar ei hôl gan alw arni i ddod ato. Trên nwyddau oedd hi, fel roedd Harri wedi gobeithio ar yr adeg hyn o'r nos. Roedd Oci wedi cydio mewn brigyn ac yn ei guro ar y ddaear gan sgrechian. O leiaf, gyda holl sŵn yn dod o'r injan, fyddai neb yn ei chlywed hi, meddyliodd Harri. Bu'n poeni y byddai rhywun yn eu gweld i lawr ar drac y rheilffordd, ond roedd yr injan yn un pen a fan y giard yn y pen arall ar goll yn llwyr yn y niwl. Welai neb nhw. 'Ty'd yn ôl, Oci. Ty'd yn ôl. *Va bene, va bene.*' Ac er mawr syndod a rhyddhad i Harri, cythrodd Oci'n ôl ato gan chwifio'i ffon yn yr awyr.

Tan hynny, doedd Harri ddim wedi sylweddoli pa mor uchel fyddai'r wagenni, na pha mor bell o'r ddaear. Doedd dim modd iddo ddringo i fyny gan nad oedd lle i roi ei ddwylo na'i draed.

Clywodd y signal yn codi, ac yna'n sydyn tynnodd Oci yn rhydd o'i afael a rhedeg ar hyd y trac wrth ochr y trên. Cyn iddo hyd yn oed gael cyfle i alw arni, roedd hi wedi dringo ar y byffrau rhwng dwy o'r wagenni. Prin roedd Harri wedi llwyddo i godi'i hun ar y byffrau pan glywodd y pwff cyntaf o stêm. Paratôdd ei hun ar gyfer yr ysgytwad, gan gydio'n dynn ar y trawstiau croes yng nghefn y wagen wrth i'r trên sgrytian yn ei flaen. Edrychodd i fyny. Doedd dim golwg o Oci, ond clywai hi'n sgrechian y tu mewn i'r wagen. Llwyddodd Harri i gael lle da i roi'i droed rhwng y trawstiau, a thynnu'i hun i fyny gan ymestyn am do'r wagen. Bu'n hongian yno am funud neu ddau wrth i'r trên ruthro o dan y bont, a'r mwg yn ei lyncu. Crynai ei freichiau blinedig dan y straen. Gan ddefnyddio'i droed iach fel lifer yn erbyn ochr y wagen, cododd ei ben-glin arall i fyny dros yr ochr. Teimlai'n fwy diogel erbyn hyn ac arhosodd yno am sbel, yn ceisio magu nerth ar gyfer un ymdrech olaf i'w lusgo'i hun yn ddiogel i mewn i'r wagen. Y rhan yma oedd yr hawsaf, a gollyngodd Harri ei hun i lawr mor araf â phosib, gan hongian gerfydd ei ddwy law. Llwyddodd i lanio ar ei droed iach a rholio drosodd. Neidiodd Oci arno ar unwaith, a gorweddodd y ddau ar waelod y wagen wag yn cofleidio'i gilydd wrth i'r trên ruthro drwy'r tywyllwch.

Yn ôl pob golwg, roedd Oci'n gallu bod yn hapus hyd yn oed yn y llefydd mwyaf annhebygol. Tra oedd Harri'n swatio yng nghornel y wagen yn ceisio cysgodi rhag y gwynt, ei bengliniau wedi'u codi at ei ên i geisio cadw'n gynnes, roedd Oci'n fusnes i gyd yn archwilio pob twll a chornel. Roedd popeth yn y wagen o ddiddordeb iddi, ac archwiliai'r cyfan yn eiddgar: tarpwlin wedi rhwygo, hen bapur newydd, papurau fferins, brigau a dail – bu'n eu harogli, eu blasu, eu rhwygo'n ddarnau a'u hastudio'n fanwl. Er bod y cyfan yn apelio ati, y peth gorau un oedd nyten fawr fetel oedd yn rhuglo a dyrnu wrth iddi ei lluchio o gwmpas y wagen, gan redeg ar ei hôl a hwtian yn wyllt. Roedd Oci fel petai wedi'i chyfareddu â sŵn gwag yr atsain yn y wagen; daliai i hwtian a gwrando wrth aros i'r sŵn fownsio'n ôl ati, ac roedd hynny yn ei dro'n achosi rhagor o gyffro a hwtian. Tybed a fyddai hi byth yn blino ar wneud hynny, meddyliodd Harri. Ond roedd gweld Oci'n mwynhau ei hun yn help i Harri anghofio am y boen – dros dro, o leiaf.

Roedd ei ffêr yn plycio'n ddidrugaredd. Deuai'r boen mewn hyrddiau ac roedd yn sicr yn gwaethygu. Ceisiodd symud bysedd ei droed y tu mewn i'w esgid. Yn ôl y sôn, os gallech chi wneud hynny, doedd dim asgwrn wedi torri. Sylweddolodd ei fod yn gallu symud rhai o'i fysedd, ond nid pob un, a doedd o ddim yn siŵr beth oedd arwyddocâd hynny. Ond roedd yn amhosib anwybyddu'r boen, hyd yn oed wrth fwynhau gwylio Oci'n gwneud pob math o giamocs i dynnu'i sylw.

Doedd cell haearn agored y wagen ddim yn cynnig llawer o gysgod rhag y gwynt, a dim cysgod o gwbl rhag oerni'r nos. Tynnodd Harri'r tarpwlin yn dynnach amdano, ond teimlai'n damp a digysur. Gan Oci roedd yr unig gynhesrwydd i'w gael. Pan flinodd hithau o'r diwedd ar holl bleserau'r wagen, a laru ar y nyten a sŵn ei hwtian ei hun, daeth ato a chwtsio o dan y tarpwlin.

'Mi fedri di weld y môr drwy ffenest f'ystafell i yn nhŷ Anti Enid, Oci,' meddai Harri. 'Go brin dy fod ti wedi gweld y môr o'r blaen. Mae'n edrych fel petai'n ymestyn am byth bythoedd, yn union fel yr awyr. Gei di weld. Mi a' i â chdi i'r traeth, Oci, ac mae gan Anti Enid siglen yn yr ardd. Fetia i na fuost ti ar un o'r rheiny erioed, naddo? Ac aros nes byddi di wedi blasu'i lobscows hi, a'i bara brith a'i phwdin bara menyn hi! Bob gyda'r nos mi gei di ddiod siocled poeth a bisged *digestive*. Mae gan Anti Enid wastad fisgedi *digestive*. Rwyt ti'n hoffi'r rheiny, yn dwyt, Oci?' Ond roedd Oci'n cysgu'n drwm. Edrychodd Harri i fyny a gweld mai sêr oedd uwch ei ben erbyn hyn, nid niwl. Ychydig funudau'n ddiweddarach, hwyliai'r lleuad drwy'r awyr gan lenwi'r wagen â golau. Tybed a fyddai'r lleuad yn aros yn llonydd petai'r trên yn stopio? Dyna oedd ar feddwl Harri wrth iddo syrthio i gysgu.

Cafodd y ddau eu deffro ar yr un pryd. Doedd siglo rheolaidd y trên, a'u suodd i gysgu, ddim mor rhythmig erbyn hyn. Arafodd y trên gan ysgwyd a sgrytian nes llonyddu o'r diwedd. Cododd Oci ar ei thraed wrth ochr Harri gan grafu'i hysgwydd a chodi'i phen i wrando. Yn y pellter anadlai'r injan yn araf, ac yna clywyd lleisiau'n dod ar hyd y trac. Dechreuodd Oci gwyno, a chyn i Harri allu ei rhwystro cerddodd ar draws y wagen ar ei phedwar gan hwtian yn dawel. Aeth Harri ar ei hôl, ond baglodd dros ymyl y tarpwlin a syrthio'n drwm a swnllyd. Daeth Oci draw ato ac eistedd ar ei goes gan syllu arno'n gorwedd yn ei unfan. Roedd sŵn traed i'w clywed yn crensian ar y cerrig yn union y tu allan i'w wagen.

'Glywaist ti rywbeth?' meddai llais.

'Rwyt ti'n wastad yn clywed rhywbeth, Benja.'

'Sŵn tebyg i dylluan.'

'Wel, ella mai tylluan *oedd* hi,' meddai'r llais cyntaf. 'Ty'd 'laen. Mae gynnon ni waith i'w wneud.'

'Dydi tylluanod ddim yn mynd i mewn i wagenni, nac ydyn? Glywais i rywbeth yn symud yn y wagen acw. Do wir. Gas gen i'r lle 'ma. Mae o'n gyrru iasau i lawr 'y nghefn i.'

'Yli, Benja, dwi eisio mynd adre heno. Os oes gen ti

ddiddordeb mewn chwilio am bethau'n symud yn y nos, dy fusnes di ydi hynny – ond mae'n rhaid i ni ddadfachu'r wagenni 'ma a mynd yn ôl i'r depo. Rho'r gorau i falu awyr a rhoi help llaw i mi, wnei di?'

Cafwyd llawer o sŵn dyrnu a chlecian, a sawl rheg, cyn i'r dynion fynd oddi yno, yn dal i ddadlau. Teimlai Harri'n ddigon diogel erbyn hyn, a gollyngodd law Oci. Cododd yr injan bwff o stêm, crynodd y wagenni am funud, ac yna roedd popeth yn llonydd. Doedd dim amheuaeth o gwbl; roedden nhw'n cael eu gadael ar ôl. Dyna ddiwedd ar gynlluniau Harri – doedd ganddyn nhw ddim gobaith cyrraedd y Rhyl. Pwffiodd yr injan i'r nos gan eu gadael nhw ar ôl yn y tawelwch dan olau'r lleuad.

Ond roedd Oci'n aflonydd iawn, a dechreuodd redeg o gwmpas y wagen gan aros bob hyn a hyn i godi ar ei thraed a gwrando. Yna eisteddai am ychydig funudau, ei dau benelin ar ei phengliniau, yn crafu'i hysgwydd, cyn ailddechrau rhedeg o gwmpas y wagen. Siaradodd Harri efo hi i geisio'i thawelu. Roedd rhywbeth yn ei phoeni – roedd hynny'n berffaith amlwg. Doedd siarad ddim fel petai'n gwneud unrhyw wahaniaeth, dim ots beth roedd Harri'n ei ddweud. Doedd '*Va bene, va bene,*' sef geiriau hud Signor Blondini, ddim fel petaen nhw'n cael unrhyw effaith chwaith. Aeth Harri ati'n araf a cheisio rhoi ei fraich amdani. Dyna pryd y newidiodd holl ymddygiad Oci'n sydyn. Edrychodd yn filain ar Harri, ei gwefusau'n fain a'i llygaid yn llawn dicter. Camodd yntau'n ôl gan osgoi edrych arni, fel roedd Signor

Blondini wedi'i ddangos iddo, a dal ati i siarad drwy'r adeg i geisio'i thawelu.

'Be sy'n bod arnat i, Oci? *Va bene, va bene.*' Dechreuodd Oci siglo'n araf o ochr i ochr, ac yna heb rybudd o gwbl ymosododd ar Harri gan sgrechian yn ddig a dyrnu'i thraed wrth ruthro ato. Ciliodd Harri i sefyll â'i gefn yn erbyn wal y wagen. Doedd unman arall i fynd. Cododd ei fraich i'w amddiffyn ei hun a chau ei lygaid. Neidiodd Oci arno, gydag un llaw yn cydio yn ei gôt ac un arall yn ei ysgwydd. Teimlai Harri ei phwysau wrth iddi ddringo i fyny'i gorff, rhoi un droed ar ei ben, ac ymestyn am do'r wagen i godi'i hun drosodd. Digwyddodd popeth mor gyflym fel na chafodd Harri gyfle i deimlo'n ofnus – ond roedd yn anodd credu bod Oci wedi troi'n anifail gwyllt mor sydyn.

Clywodd Harri hi'n glanio ar y cerrig y tu allan ac yna roedd popeth yn dawel. Ni theimlai fod Oci'n ei wrthod nac yn ei gasáu. Yn syml iawn, roedd Oci'n benderfynol o ddianc, dyna'r cyfan. Carchar oedd y wagen i Oci, tybiodd Harri, ac roedd yn rhaid iddi gael ei thraed yn rhydd. Ond pam yma, a pham mor sydyn? Methai'n lân â deall hynny. Roedd wrthi'n ceisio gwneud synnwyr o'r cyfan pan sylweddolodd fod y wagen yn garchar iddo yntau hefyd. Gan fod ochrau'r wagen yn uchel a llyfn, roedd hyd yn oed Oci wedi gorfod ei ddefnyddio fo fel bwrdd i neidio arno er mwyn gallu dianc. Safodd Harri ar flaenau'i draed ac ymestyn cyn belled ag y gallai, ond doedd ganddo ddim gobaith o gyrraedd y top. Wrth neidio i fyny ac i lawr gallai ddod yn nes ati, ond ni allai gydio ynddo. Byddai'n rhaid iddo redeg gan ddefnyddio holl hyd y wagen. Ond gyda'r boen yn ei droed chwith ni allai redeg yn ddigon cyflym; yr unig beth y llwyddodd i'w wneud oedd cydio yn nhop wal y wagen â'i fysedd, ond doedd ganddo mo'r nerth i'w godi'i hun i fyny. Ac i wneud pethau'n waeth, roedd ei ddwylo mor ddideimlad oherwydd yr oerfel fel mai prin y medrai gydio mewn unrhyw beth. Dechreuodd Harri anobeithio, gan ei hyrddio'i hun yn ofer dro ar ôl tro at ochr y wagen, ar bigau'r drain eisiau mynd allan i chwilio am Oci. O'r diwedd, wedi ymlâdd yn llwyr ac yn teimlo'n ddigalon, suddodd i lawr ar y tarpwlin yn y gornel. Doedd ganddo ddim gobaith dianc. Doedd dim byd ar ei feddwl heblaw'r posibilrwydd dychrynllyd y byddai'n marw o newyn yno ar ei ben ei hun. Trodd i orwedd ar ei stumog a dyrnu'r tarpwlin mewn rhwystredigaeth.

Teimlad oer y tarpwlin ar ei foch roddodd y syniad iddo. Llusgodd y tarpwlin ar draws llawr y wagen a'i blygu'n bentwr mor drwchus ag y gallai i ffurfio math o ris. Yna cerddodd wysg ei gefn i'r gornel bellaf a rhedeg ato, gan anwybyddu'r boen yn ei ffêr. Rhoddodd y gris yr ychydig fodfeddi ychwanegol roedd eu hangen arno. Bellach, gallai godi'i hun i fyny a thaflu un fraich dros yr ymyl. Ciciodd yn wyllt a chrafangio ar ochr y wagen, gan lwyddo o'r diwedd i fachu un ben-glin dros yr ochr. Gorffwysodd yno am ychydig funudau i gael ei wynt ato ac i chwilio am Oci. Galwodd, ei lais yn atseinio yn y wagen islaw. 'Oci! Oci! *Va bene, va . . .*' Tawodd yn sydyn. Roedd newydd sylweddoli beth oedd yn disgleirio yng ngolau'r lleuad. Tanciau rhyfel. Llond y lle ohonyn nhw, yn llenwi'r cae o'r rheilffordd yr holl ffordd at y rhes o goed tywyll yn y pellter. Rhesi ar resi ohonyn nhw, rhai efo'u tyrau ar agor, eraill a'u gynnau wedi'u hanelu at y sêr. Galwodd Harri eto ar Oci, a chlywodd gi'n cyfarth yn rhywle'n bell i ffwrdd. Gollyngodd Harri ei hun i lawr yn ofalus ar y byffrau, ac o'r fan honno i lawr ar y rheilffordd.

Crafangodd o dan ffens weiren bigog, ac yn sydyn roedd yn cerdded ymysg y tanciau gloyw gan alw ar Oci. Estynnodd allan i gyffwrdd mewn baril gwn, a daeth y barrug gwyn i ffwrdd ar ei fysedd. Galwodd eto, a chlywodd yr un ci'n cyfarth o bell. Doedd dim olion i'w dilyn, felly doedd gan Harri ddim syniad i ble y gallasai Oci fod wedi mynd. Wrth grwydro rhwng y tanciau, gwelodd ddefaid yn pori yng ngolau'r lleuad. Pan welson nhw Harri'n cerdded tuag atynt, gwasgarodd y praidd yn ddistaw fel ysbrydion gwyn drwy'r fynwent danciau.

Arhosodd Harri i rythu ar danc â thwll llydan fel ceg agored yn ei du blaen; roedd baril y gwn wedi'i anelu yn syth ato. Dyna pryd y clywodd y miwsig. Credai ar y dechrau mai breuddwydio roedd o, ond yna clywodd y sŵn eto; roedd yn uwch y tro hwn, yn gliriach ac yn fwy persain. Gwyddai Harri beth oedd yr offeryn. Ffidil.

PENNOD WYTH

Safodd Harri a gwrando'n astud, gan bwyso yn erbyn un o'r tanciau er mwyn gorffwys ei ffêr. Rhyw fath o alaw ddawns oedd hi, y curiad yn fywiog ac yn gyson – ond tawodd yn sydyn. Clywai rai'n chwerthin, a llais un dyn yn uwch ac yn fwy aflafar na'r lleill. Roedd Harri wedi ymgolli gymaint yn y gerddoriaeth nes iddo bron ag anghofio am Oci. Ond yna clywodd hi'n hwtian, a sylweddoli ar unwaith pam roedd hi wedi troi mor ffyrnig yn y wagen. Dechreuodd y ffidil chwarae eto. Doedd dim esboniad arall yn bosibl. Rhaid bod Oci wedi clywed y ffidil pan oedd hi yn y wagen – roedd Harri wedi sylwi o'r blaen pa mor fain oedd ei chlyw. Ac iddi hi, golygai sŵn ffidil un peth yn unig – Mistar Neb. Wedi dianc i chwilio am Mistar Neb oedd hi.

Herciodd Harri'n gloff o danc i danc tuag at y gerddoriaeth a'r chwerthin, nes gweld fflamau tân yn cael eu hadlewyrchu yn un o'r tanciau o'i flaen. Dechreuodd symud yn fwy gofalus, a chadw allan o'r golwg. Roedd y lleisiau i'w clywed yn gliriach erbyn hyn. Clywai fabi'n crio a llais merch yn ei gysuro. Gwelai gysgodion pobl o amgylch y tân. Gallai arogli'r mwg. Un tanc yn unig oedd rhyngddo ef a'r tân erbyn hyn. Aeth i lawr ar ei bedwar a chropian drwy'r glaswellt oer cyn agosed ag y meiddiai. Cododd ei ben a theimlo gwres y tân ar ei wyneb. Roedd Oci ar ei chwrcwd o flaen y tân, yn chwifio darn o bren yn ei llaw. Cyfrodd Harri un, dau, tri o bobl o gwmpas y tân. Roedd babi dros ysgwydd un person, a chwaraeai un arall y ffidil. Eisteddai'r trydydd person yn ei gwman wrth y tân.

Clywodd Harri lais yn dod o rywle uwch ei ben. 'Wel! Wel! A phwy sy gynnon ni'n fan'ma?' Edrychodd Harri i fyny a gweld dyn yn cuchio'n ddig arno. Roedd fflamau'r tân yn fflachio'n lliw efydd ar ei wyneb. Gwisgai gap ar ochr ei ben. Galwodd allan yn uwch ac yn fwy cras y tro yma: 'Drychwch be dwi wedi'i ffeindio!' Stopiodd sŵn y ffidil. Cydiai'r dyn mewn dwy gwningen farw gerfydd eu traed; doedd eu llygaid ond ychydig fodfeddi o lygaid Harri, a'u clustiau'n taro'n llipa yn erbyn ei wyneb. Gwthiodd Harri nhw i ffwrdd, wedi'i ffieiddio. 'Mae gynnon ni ymwelydd,' meddai'r dyn, gan gydio ym mraich Harri a'i godi ar ei draed. 'Bachgen o'r pentre, yn ôl pob tebyg. Yma i sbecian ar y tinceriaid wyt ti, ia?' Llusgwyd Harri'n agosach at olau'r tân. 'Wel, dyma ti – sbia di faint fynni di.' Roedd Oci wedi gweld Harri, a dechreuodd hwtian ei chroeso. 'Be ddiawl ydi hwnna?' meddai'r dyn â'r cwningod, gan lacio'i afael ym mraich Harri. Rhedodd Oci tuag ato, gan wneud i'r dyn ollwng ei afael a chamu'n ôl.

'G'rila bach ydi o, Rolo,' meddai'r dyn efo ffidil o'r ochr arall i'r tân. Roedd ei dafod yn dew. 'Mae gynnon ni bâr ohonyn nhw i bob golwg – bachgen a g'rila bach.' Dringodd Oci ar ysgwydd Harri, y pren yn dal yn ei llaw. 'Yn ôl be wela i, mae'r ddau ohonyn nhw wedi dod efo'i gilydd,' ychwanegodd dyn y ffidil. 'Ydach chi'n nabod eich gilydd? Os mai wedi dod yma i fusnesu ydach chi, fel roedd Rolo'n dweud, mi ddysga i wers i chi.' Cerddodd yn sigledig tuag at Harri. Sgrechiodd Oci a gollwng ei darn o bren yn ei gwylltineb.

'Gad iddo fo, Zak,' meddai'r wraig â'r babi. 'Rwyt ti wedi creu digon o drafferth am un noson. Cyrraedd yn ôl yn chwil gaib eto, a deffro pawb.'

'Do, dwi wedi cael llymed bach,' meddai'r dyn efo'r ffidil. 'Pa ddrwg sy yn hynny, y? Dwi'n chwarae'n well ar ôl cael diferyn neu ddau, ti'n gwybod hynny. Beth bynnag, mae'r g'rila 'na wrth ei fodd efo fo, yn tydi? Welaist ti o'n curo'i ddwylo? Ro'n i'n meddwl mod i'n breuddwydio! O'n wir, Rolo. Ro'n i'n chwarae'r ffidil ar fy mhen fy hun, ac yn sydyn dyna lle roedd o, y g'rila bach 'na, yn eistedd wrth f'ymyl i. Ro'n i'n methu credu'r peth – meddwl mai effaith y ddiod oedd o i ddechrau. Ond mi ddechreuodd guro dwylo a hwtian, a finna'n dal i chwarae a fynta'n dal i hwtian. Welais i 'rioed g'rila o'r blaen.'

'Tsimpansî ydi hi,' meddai Harri, a rhythodd pawb arno. Ddywedodd neb 'run gair am rai eiliadau.

'Wyt ti wedi brifo dy droed?' Doedd Harri ddim yn hollol siŵr pwy oedd wedi siarad nes i'r ffurf yn ei gwman ger y tân amneidio arno i ddod draw. Eisteddai ar foncyff, wedi'i lapio mewn blanced, ac wrth i Harri gerdded tuag ato gwelodd fod rhywun arall hefyd o dan y blanced. Syllai llygaid geneth ifanc i fyny arno.

'Rwyt ti wedi dewis amser rhyfedd i alw heibio,' meddai'r dyn. Gwelai Harri ei fod yn hen, ei wallt melynwyn yn hongian i lawr at ei ysgwyddau. Daliai getyn yn ei law. 'Stedda i lawr ac mi edrycha i ar dy droed di.' Eisteddodd Harri wrth ei ochr ar y boncyff, yn crynu yng ngwres y tân. 'Paid â sefyll yna'n rhythu, Rolo,' meddai'r hen ŵr yn finiog. 'Dos i nôl blanced i'r bachgen cyn iddo fo rynnu i farwolaeth.' Ufuddhaodd y dyn ifanc a diflannu i'r tywyllwch. 'Tyn d'esgid, hogyn, a rho dy droed ar fy mhen-glin i. Dwi'n rhy hen i blygu.' Roedd yr eneth yn dal i syllu ar wyneb Harri. Teimlai hi'n edrych arno, ond ni allai edrych yn ôl. Roedd dwylo'r hen ŵr yn gynnes ar ei goes wrth iddo dynnu'r hosan. Lapiodd ei ddwylo o gwmpas y droed. 'Ei throi hi wnest ti?' holodd. Nodiodd Harri.

Dringodd Oci i lawr oddi ar lin Harri a mynd i eistedd yn ei chwrcwd o flaen y tân. Edrychai fel petai wedi'i swyno'n lân gan y fflamau, a hwtiodd yn dawel arnyn nhw. 'Eli rhisgl, Meg,' meddai'r hen ŵr. 'Mi wyddost ti lle mae o. Brysia.' Cododd yr eneth ar unwaith, gan redeg i fyny grisiau'r garafán. Meddyliodd Harri ei bod hi'n rhedeg fel cath, yn gwbl ddiymdrech. Trwy'r gwyll, gwelai ddau geffyl yn pori gerllaw'r garafán. 'Fy wyres i ydi hi,' meddai'r hen ŵr, gan bwyntio ati â'i getyn. 'A dacw fy ŵyr bach i. Ychydig wythnosau oed ydi o, ac mae'n gwneud mwy o sŵn na hi'n barod.'

'Sipsiwn ydach chi?' holodd Harri.

Chwarddodd y dyn. 'Sipsiwn, tinceriaid – rydan ni'n cael ein galw'n bopeth dan haul. Teithwyr ydan ni, fachgen. Byth yn busnesu efo neb. Byth yn gofyn ffafr gan neb, a byth yn disgwyl dim chwaith.' Rhedodd yr eneth yn ôl ac estyn potel i'r hen ŵr. Agorodd yntau hi a'i harogleuo. 'Da iawn, Meg. Wyddost ti be i'w wneud?'

Penliniodd yr eneth wrth ochr Harri, tywallt ychydig o'r hylif ar ei ffêr ac yna dechrau ei rwbio i mewn i'r croen. Teimlai'r eli'n oer ar y dechrau, a daliodd Harri ei wynt yn sydyn.

'Ara deg rŵan,' meddai'r hen ŵr. 'Cymera ofal, dyna eneth dda. Mae o wedi troi'r ffêr 'na'n ddrwg.'

Chododd yr eneth mo'i phen drwy'r adeg y bu hi'n gweithio ar ffêr Harri. Chymerodd hi ddim sylw o Oci, hyd yn oed, pan ddaeth honno draw a sniffian troed Harri. Dringodd Oci ar lin Harri i'w gwylio. Ni wyddai Harri ai'r hylif yn y botel ynteu'r nerth ym mysedd y ferch oedd yn gyfrifol, ond wrth iddi rwbio'i ffêr roedd y boen yn cilio'n raddol.

'Rolo,' meddai'r hen ŵr. 'Dos i hongian y cwningod 'na i fyny. Tra wyt ti wrthi, gwna baned o de poeth i ni i gyd. Wyt ti eisio bwyd, fachgen?'

Nodiodd Harri. 'Ac mae Oci bob amser ar lwgu,' meddai.

'Oci?'

'Y tsimpansî. Mi wnaiff hi fwyta unrhyw beth,' meddai Harri.

'Mae gynnon ni fara dros ben, beth bynnag. Mae gynnon ni fara bob amser.'

Roedd y te'n boeth ac yn felys. Cynhesodd Harri ei ddwylo ar y mẁg a gwylio Oci'n llowcio'i bara. Lluchiodd Rolo ragor o goed ar y tân a chlosiodd pawb at y gwres, yn sipian eu te mewn tawelwch. Oedodd bysedd yr eneth am eiliad neu ddwy i dywallt rhagor o'r hylif dros ffêr Harri, cyn ei rhwbio eto gan ddilyn yr un rhythm cyson, dro ar ôl tro.

Cyneuodd yr hen ŵr ei getyn. 'Wrth gwrs,' meddai, 'does dim rhaid i ti ddweud dy hanes wrthon ni, fachgen. Ond yn naturiol rydan ni'n pendroni be ddaeth â chi yma, chdi a'r mwnci. Rydan ni wedi hen arfer cael ein deffro gefn drymedd nos. Yn aml iawn, mae Zak draw yn fan'na, hwnna efo'r ffidil – fo ydi fy mab hynaf i – wedi cael boliad o gwrw yn y dafarn ac yn cyrraedd 'nôl yn hwyr a'n deffro ni i gyd wrth chwarae'i ffidil felltith. Does dim byd yn newydd yn hynny, ond nid bob nos rydan ni'n deffro a gweld mwnci yn y gwersyll, heb sôn am rywun diarth fel ti. Dwyt ti ddim yn dod o'r ardal yma, nac wyt?'

'Lerpwl,' atebodd Harri.

'Lerpwl, ie? Wel, rwyt ti'n bell iawn o gartre, fachgen,' meddai'r hen ŵr.

'Wedi dianc ydw i,' meddai Harri. Roedd o wedi blino gormod i ddweud celwydd, a beth bynnag synhwyrai na fydden nhw'n credu unrhyw beth heblaw'r gwir. Am ryw reswm, roedd o'n awyddus iawn eu bod nhw'n ei gredu. Felly dywedodd y cyfan wrthyn nhw. Ni ofynnodd neb unrhyw gwestiynau, dim ond eistedd yno'n edrych arno a gwrando'n astud mewn tawelwch. Oci oedd yr unig un i beidio talu sylw. Ar y dechrau roedd hi'n ddigon hapus yn eistedd ar lin Harri gan dacluso'i blew, ond pan ddechreuodd chwarae efo'i wallt gwthiodd Harri hi i lawr. Cwynodd Oci'n chwerw a phwdu wrth y tân am rai munudau. Yna daeth yn ôl ac eistedd wrth ochr yr eneth fach wrth iddi roi hosan Harri yn ôl am ei droed. Rhoddodd Oci ei braich am ysgwyddau'r eneth ac archwilio'i hwyneb â'i bysedd. Doedd hynny ddim yn poeni'r eneth nac yn tynnu sylw'r gwrandawyr.

'Rwyt ti dal yn bell o'r Rhyl,' meddai Rolo ar ôl i Harri orffen siarad. 'Mae 'na gryn ugain milltir o fan'ma at y môr, a deg arall i'r Rhyl.'

'Mi gerdda i,' meddai Harri.

'Na wnei di wir, ddim efo'r droed 'na,' meddai Rolo. 'Well iddo fo aros yma am dipyn, yntê Da?'

Cododd yr hen ŵr ar ei draed a lapio'r blanced am ei ysgwyddau. 'Ddyweda i ddim byd y naill ffordd na'r llall, ddim tan y bore. Mi wna i feddwl am y peth dros nos. Mae 'na le yn ein carafán ni, Rolo. Gei di ddod â'r bachgen a'r mwnci i gysgu efo ni heno ac mi siaradwn ni yn y bore. A Zak, os dechreui di chwarae'r ffidil 'na eto heno, mi dafla i hi i'r tân, gwnaf ar fy ngwir. Rŵan, dowch i ni i gyd gael rhywfaint o gwsg.' Yn amlwg, doedd neb yn meiddio dadlau â'r hen ŵr, a gwasgarodd bawb ar unwaith i'w carafanau. Gwenodd mam y babi ar Harri wrth fynd heibio iddo.

Cydiodd Rolo ym mraich Harri a'i helpu i fyny grisiau'r garafán. Roedd hi'n gynnes y tu mewn ac roedd arogl olew yno. Doedd dim llawer o le i symud o gwmpas, ond archwiliodd Oci y garafán yn gyflym cyn dod yn ôl at y gwely. Ddywedodd yr hen ŵr 'run gair arall wrth neb, dim ond tynnu blanced dros ei ysgwyddau a diffodd y lamp. Cysgodd Harri a Rolo ben wrth draed ar yr un gwely, gydag Oci'n swatio rhyngddynt. Roedd hi wedi cysgu cyn pawb arall, ac yn anadlu'n drwm wrth eu hochrau yn y tywyllwch. Ceisiodd Harri ddweud ei bader, gan wybod y dylai, ond ni allai stopio meddwl am yr eneth. Gallai deimlo'i bysedd ar ei ffêr o hyd. Sut yn y byd y gallai rhywun mor fychan ac eiddil fod â dwylo mor gryf a'r gallu i redeg mor gyflym? Doedd Harri ond hanner ffordd drwy'i bader pan syrthiodd i gysgu.

Deffrodd Harri'n sydyn, gan deimlo'r aer oer ar ei wyneb. Roedd yn olau dydd y tu allan, a drws y garafán ar agor. Edrychodd o'i gwmpas. Roedd ar ei ben ei hun. Cododd ar ei eistedd, ac roedd ar fin galw ar Oci pan welodd hi drwy'r drws. Eisteddai yn ei chwman o flaen y tân efo crystyn o fara yn un llaw, a'i braich yn gafael am yr eneth a benliniai wrth ei hochr. Roedd honno'n golchi llaw Oci, gan sychu'r briw yn dyner a siarad yn dawel â hi. Ac yna clywodd Rolo'n codi'i lais yn flin.

'Chei di ddim, Zak.'

'Wela i ddim pam lai. Mae'n werth tipyn o arian, 'swn i'n meddwl,' meddai Zak. 'Wedi'r cyfan, o'r syrcas y daeth hi. Dyna ddwedodd o, yntê? Wedi'i hyfforddi'n dda, medda fo. Cofia fod pawb eisio byw. Go brin y down ni'n gyfoethog wrth hogi cyllyll a gwneud tipyn o begiau dillad.'

'Dyna ddigon, y ddau ohonoch chi,' meddai'r hen ŵr. 'Dach chi wastad yng ngyddfau'ch gilydd. Mi fasa gan eich Mam – heddwch i'w llwch – gywilydd ohonoch chi, basa wir.' Safai Harri wrth ddrws y garafán erbyn hyn ac roedd yr hen ŵr wedi'i weld. 'O, dyna ti, fachgen,' meddai. 'Paid â chymryd sylw o Zak. Dim ond siarad trwy'i het mae o. Dydi o ddim o ddifri.' Petrusodd Harri ar ben y grisiau. 'Paid ti â phoeni am y peth. Does 'na neb yn mynd i werthu dy fwnci di. Ty'd i gael paned o de, ac mi gei di jam ar dy frechdan – jeli aeron rhosod. Mari, fy merch-yng-nghyfraith, sy'n gwneud y jam gorau yn y byd, yntê 'ngeneth i?' Tybiai Harri felly mai Mari oedd mam yr eneth yn ogystal â mam y babi. 'Ydi dy droed di'n well?' gofynnodd yr hen ŵr wrth i Harri ddod i lawr y grisiau. Nodiodd yntau. Roedd ei ffêr yn dal yn dyner, a theimlai'n wan pan roddai unrhyw bwysau arni, ond o leiaf roedd y boen wedi mynd. Roedd arno angen dwy law i gydio yn y bara a'r jam roddodd Rolo iddo. Ac roedd yr hen ŵr yn dweud y gwir – y jeli aeron rhosod *oedd* y jam gorau yn y byd i gyd.

'Wel,' meddai'r hen ŵr wrth iddo ddod i eistedd wrth ei ochr. 'Rydw i wedi dweud fy marn yn blaen wrth y lleill, a rŵan mi gei dithau ei chlywed. Dwi wedi bod yn meddwl drwy'r nos. Dydi hen bobl ddim yn cysgu'n rhy dda, wyddost ti.' Roedd fel petai'n anfodlon mynd yn ei flaen. 'Mi fasen ni'n hoffi dy helpu di, fachgen, basen wir. Ond mae'n rhaid i ti ddeall un neu ddau o bethau. Y peth pwysicaf ddysgais i dros y blynyddoedd ydi fod yn rhaid i bawb ofalu amdano'i hun a'i deulu. Dwyt ti ddim yn deall am be dwi'n sôn, nac wyt? Mae 'na ddau fyd cwbl wahanol, weli di – dy fyd di allan yn fan'na a byd y sipsiwn. Does gan bobl dy fyd di fawr ddim i'w ddweud wrthon ni. Dydyn nhw ddim yn hoffi'r ffordd rydan ni'n byw am ein bod ni'n wahanol iddyn nhw. Dydan ni ddim yn credu yn yr un pethau, ti'n gweld.

Dyna'r sefyllfa, a dyna sut bydd hi am byth. Mi fyddan nhw'n siŵr o fod allan yn chwilio amdanat ti. A beth bynnag, dydyn nhw ddim yn dwp. Fyddan nhw ddim yn hir cyn dod o hyd i ti. Os dôn nhw o hyd i ti yma efo ni, fachgen, mi fyddwn ni mewn andros o helynt. Mi gân' ni ein symud ymlaen o fan'ma, fel bob tro arall. Rydan ni wedi hen arfer efo hynny. Glywaist ti'r straeon amdanon ni?'

'Straeon?' holodd Harri, gan ysgwyd ei ben.

'Wel, mae rhai pobl yn gwrthod gadael i'w plant ddod allan o'r tŷ pan fyddwn ni o gwmpas. A wyddost ti pam? Am eu bod nhw'n ofni y bydden ni'n eu dwyn nhw. Dyna fydden nhw'n ei ddweud tasen nhw'n dod o hyd i ti yma. Dweud ein bod ni wedi dy gipio di – a be fyddai'n digwydd i ni wedyn? Wyt ti'n deall be dwi'n ddweud? Mae'n rhaid i mi ofalu am fy nheulu fy hun.' Doedd Harri ddim yn siŵr a oedd o'n deall ai peidio.

'Be mae Da'n trio'i ddweud,' meddai Zak braidd yn ddiamynedd, 'ydi na fedri di ddim aros yma. Mae'n rhaid i ti fynd. Mae gen ti gartref i fynd iddo, does? Nid ein bai ni ydi dy fod ti wedi rhedeg i ffwrdd, nage?'

'Ond dydi'r hogyn ddim eisio mynd yn ôl adre,' meddai Rolo. 'Ac os aiff o, mi glywaist ti be ddwedodd o – mi gymeran nhw Oci oddi arno fo.'

'Mi ddylai o fod wedi meddwl am hynny cyn hyn, yn dylai?' meddai Zak. 'Taswn i'n cael fy ffordd fy hun, mi werthwn i'r mwnci a dweud wrth yr awdurdodau ble mae'r hogyn. Ella fod 'na wobr i'w hennill – wyddoch chi ddim.'

‘Wnawn ni mo hynna,’ meddai’r hen ŵr yn bendant. ‘Ond mae’n rhaid i’r hogyn fynd, does dim dwywaith am hynny.’

‘Fedrwn ni ddim, Da,’ meddai Mari’n dawel. ‘Fedrwn ni mo’i anfon o i ffwrdd.’ Cododd ar ei thraed i nôl mygaid o de i Harri, yna edrychodd i lawr ar yr hen ŵr. ‘Mi wyddoch chi’n iawn na fedrwn ni. Drychwch arno fo, mewn difri calon. Prin mae o’n medru cerdded. A beth bynnag, be wnâi o allan yn fan’na ar ei ben ei hun? Mi fydd o’n saff yma am dipyn, nes bydd ei droed o’n well. Ddaw neb o hyd iddo fo yma os na ddywedwn ni wrthyn nhw, a does ’na ’run ohonon ni’n debygol o wneud hynny, nac oes?’

‘Mae hi’n dweud y gwir, Da,’ meddai Rolo. ‘Fydd neb yn gwybod. Ddaw neb o hyd iddo fo’n fan’ma.’

Meddyliodd yr hen ŵr am ychydig eiliadau cyn edrych ar Mari a gwenu. ‘Rwyt ti’n siarad sens, Mari fach – fel arfer,’ meddai. ‘Iawn, mi gaiff y bachgen aros, ond dim ond nes bydd ei droed o’n well. Rhaid i bawb gau’i geg – ti’n clywed, Zak? Paid ti â mentro sôn gair wrth neb yn y dafarn ’na. Mi wn i sut un wyt ti ar ôl cael tropyn neu ddau yn dy fol.’ Trodd at Harri, gan ysgwyd ei fys arno. ‘Ond mi ddweda i un peth wrthat ti – roeddet ti’n onest efo ni, ac mi fydda inna’n onest efo tithau. Ddylet ti ddim bod wedi gwneud be wnest ti. Mi wyddost tithau hynny’n iawn. Efo’i fam ddylai hogyn dy oed di fod, ac mi ddylai’r mwnci fod efo dyn y syrcas. Rhaid i ti feddwl am bobl eraill.’

Ond doedd Harri ddim wedi cael llawer o amser i feddwl am ddim byd y bore hwnnw. Tra oedd o’n yfed ei de, roedd Oci a'r eneth yn chwarae dal-di-fi rownd a rownd y tân. Gallai'r eneth droi a throsi'n ddigon cyflym i wneud gêm go iawn, ac roedd Oci wrth ei bodd. Bob tro roedd hi'n blino, taflai'r eneth ddarn o fara neu rwdan ati. Roedd Oci fel petai hi'n cael mwy o hwyl yn rhedeg ar ôl rwdins nag yn bwyta'r bara. Gwyliodd Rolo a Harri nhw'n chwarae am dipyn, yna rhoddodd Rolo ei law ar ei ysgwydd.

'Dwi eisio dangos rhywbeth i ti,' meddai Rolo gan arwain Harri y tu ôl i'w garafán lle roedd ieir yn crafu ac yn pigo ymysg hen deiars a haearn sgrap wedi rhydu. Pwyntiodd Rolo at rywbeth. Wrth ymyl y gwrych roedd cwt sinc gyda blanced yn ddrws. Cododd Rolo'r blanced i ddangos motor-beic a seidcar.

'Ydi o'n gweithio?' gofynnodd Harri.

'Ydi, siŵr iawn,' meddai Rolo, gan roi clustan chwareus iddo. 'Gei di dro yn nes ymlaen, ond rhaid i mi newid yr olew i ddechrau. Rho help llaw i mi, wnei di?' Rholiodd y ddau y motor-beic o'r cwt. Sgleiniai'n ddu ac arian. '*Triumph* ydi o,' meddai Rolo, yn tynnu'i law drosto'n falch, 'ond fi adeiladodd y seidcar fy hun.'

Bu'r ddau wrthi'n brysur yn newid yr olew a glanhau'r plygiau. Drwy'r adeg eglurai Rolo gymhlethdodau'r injan, a dweud pam mai'r *Triumph* yma, ei feic o, oedd y motor-beic gorau yn y byd crwn cyfan – a hynny heb ronyn o amheuaeth. 'Gei di eistedd arno fo rŵan, os wyt ti eisio,' meddai Rolo, gan helpu Harri i eistedd ar y sedd. Teimlai Harri fel brenin ar gefn y beic, ac roedd yn cael hwyl nes i Oci ymddangos ar wib gan sgrialu'r ieir sgrechlyd i bob cyfeiriad. Neidiodd hi ar ben blaen y beic i ddechrau, yna ar ysgwydd Harri, ac yna ar dop y seidcar. Pan aeth Rolo i nôl sbaner, cydiodd yn ei law a mynd efo fo. Aeth saeth o siom drwy Harri wrth weld mor hawdd roedd Oci'n gwneud ffrindiau efo pawb. Cafodd yntau ei adael i roi sglein ar y tanc tanwydd. 'Anadla arno fo a rhwbio,' oedd cyfarwyddyd Rolo gan roi cadach yn ei law, ac roedd wrthi'n gwneud hynny pan sylwodd ar Meg yn dod tuag ato yn cario'r babi dros ei hysgwydd.

'Does ganddo fo ddim enw eto,' meddai. 'Mae Mam yn dweud bod yn rhaid i mi wneud iddo fo godi gwynt. Gei di rwbio'i gefn o os wyt ti eisio, mae hynny'n gwneud lles. Fel arall mi fydd yn cael poen yn ei fol.' Rhwbiodd Harri gefn y babi'n ofalus.

'Mae gen i un fel hwn adre,' meddai. 'Tomi ydi'i enw fo.'

'Rhwbia'n galetach na hynna,' meddai Meg, yn twt-twtian arno. 'Hwde, gafaela di ynddo fo. Mi wna innau rwbio.' Rhoddodd y babi i Harri a dangos iddo sut i ddal ei law y tu ôl i ben y babi i'w gynnal. 'Fel arall, mae'i ben o'n siglo o gwmpas,' meddai hi. Teimlai Harri foch y babi yn erbyn croen ei foch ei hun.

'Mae 'na ogla llefrith arno fo,' meddai Harri.

'Ac ogla arall weithiau,' meddai hi, a chwarddodd y ddau. Dyna'r tro cyntaf i'w hwyneb hi sirioli. Penderfynodd Harri ei bod hi'n dlws pan oedd hi'n chwerthin – yn dlws iawn. 'Drycha – os rho di dy fys yn ei ddwrn, mae o'n cydio'n dynn ac yn gwrthod gollwng. Fel ci efo asgwrn.' Torrodd y babi wynt o'r diwedd a glafoerio hefyd. 'Dyna welliant,' meddai Meg. 'Ty'd 'laen, gawn ni ei roi'n ôl i Mam rŵan.'

Eisteddai ei mam ar risiau'r garafán yn blingo cwningen. 'Mae'n bryd iddo fo gael cyntun bach,' meddai. 'Gei di ei roi o yn ei grud os wyt ti eisio.' Cariodd Meg y babi heibio iddi ac i fyny i'r garafán. Doedd Harri ddim yn hoffi edrych ar y gwningen, ond roedd yn ei chael yn anodd peidio. Sylwodd Mari a chwerthin. 'Dyna ydi'r drwg efo'ch pobl chi,' meddai, 'yn lapio'ch hunain yn erbyn y byd. Dim ond yn gweld be dach chi eisio'i weld, ac yn deall fawr ddim. Cwningen wedi marw ydi hi, Harri. Wneith hi mo dy frifo di.'

Rhedodd Meg i lawr y grisiau. 'Mae o'n cysgu,' meddai hi gan gydio yn llaw Harri a throi i fynd.

'Paid â mynd ar gyfyl y pentref,' galwodd Mari ar ei hôl. 'Dydan ni ddim eisio rhagor o helynt.'

'Be oedd hi'n feddwl?' gofynnodd Harri pan oedden nhw'n rhedeg drwy'r coed. Doedd neb wedi cydio yn ei law er pan oedd yn hogyn bach, heblaw wrth groesi'r ffordd.

'Dydi pobl y pentre ddim yn ein hoffi ni,' atebodd Meg. 'Maen nhw'n taflu cerrig aton ni.'

'Be dach chi'n wneud wedyn?' gofynnodd Harri.

'Eu taflu nhw'n ôl,' meddai hi a gwenu. Sylwodd Harri ei bod yn byseddu cadwyn o fwclis mawr brown tywyll.

Crwydrodd y ddau law yn llaw i mewn i gae'r tanciau. Yn sydyn, gafaelodd Meg yn Harri a'i dynnu y tu ôl i un o'r tanciau cyn gollwng ei law. Sbeciodd o gwmpas ochr y tanc. 'Mae'n rhaid i mi fod yn sicr nad oes neb yn ein dilyn ni,' meddai.

'Be am Oci?' meddai Harri. Doedd o ddim wedi meddwl amdani tan hynny.

'Mae Yncl Rolo'n siŵr o edrych ar ei hôl hi, neu mi wnaiff Mam,' atebodd Meg. 'Mae gen i gyfrinach, rhywbeth nad oes neb ond fi'n gwybod amdano fo. Gei di ei weld os wyt ti'n addo peidio â sôn gair wrth neb – byth.'

'Cris-croes, tân poeth,' meddai Harri. Roedd hynny fel petai'n bodloni Meg. Cydiodd yn ei law eto a cherddodd y ddau yn eu blaenau.

'Mae gen i danc fy hun,' meddai hi a phwyntio. 'Hwnna, yr un heb ddim gwn arno fo.'

Heblaw fod y gwn ar goll, edrychai'r tanc yr un ffunud â phob tanc arall yn y cae. Meddyliodd Harri gymaint mwy blêr a tholciog roedden nhw'n edrych yng ngolau dydd. Neidiodd Meg i fyny ar y tanc heb unrhyw anhawster – yn union fel Oci, meddyliodd Harri – a'i helpu yntau i ddringo ar ei hôl. 'Mi wnes i wella dy droed di, yn do?' meddai hi. Heb aros am ateb Harri, aeth Meg ymlaen â'i sgwrs. 'Ro'n i'n gwybod y gallwn i. Dwi'n medru iacháu drwy gyffwrdd. Dyna mae Taid yn ei ddweud.' Cododd gaead tŵr y tanc, ei roi i lawr yn ofalus a gollwng ei hun i mewn. 'Wyt ti'n dod?' galwodd i fyny arno. Edrychodd Harri i lawr. Safai'r eneth oddi tano, mewn gwellt dwfn at ei fferau. 'Weli di ddim byd o fyny fan'na. Rhaid i ti ddod i lawr.' Eisteddodd Harri ar yr ymyl, troi o gwmpas a gollwng ei hun i lawr nes bod ei draed yn cyffwrdd â'r gwellt. 'Gofala lle rwyt ti'n rhoi dy draed,' meddai hi, gan gydio'n dynn yn ei fraich. 'Mae gen i un ar ddeg ohonyn nhw rŵan.'

'Un ar ddeg be?'

'Draenog. Mi fydd gen i gant cyn bo hir. Dwi'n hoff iawn o Yncl Rolo, ond mae o'n gallu bod yn hen fochyn weithiau. Mae o'n gwybod lle maen nhw i gyd yn mynd i guddio dros y gaeaf, ti'n gweld, ac yn dod â nhw'n ôl i'r garafán i'w coginio nhw.' Tynnodd Harri wyneb. 'Dyna be ydw innau'n feddwl hefyd,' meddai Meg. 'Maen nhw'n cael eu crasu mewn clai er mwyn i'r pigau ddod o'r croen. Ond dwi wedi ffeindio allan lle mae o'n eu rhoi nhw, felly dwi'n eu hachub nhw ac yn dod â nhw yma. Cheith o byth hyd iddyn nhw yn fan'ma.' Plygodd Meg a symud y gwellt i'r ochr nes dod o hyd i ddraenog wedi rowlio'n bêl. 'Wna i mo'i ddeffro fo,' meddai hi. 'Fyddai hynny ddim yn deg. Maen nhw'n cysgu drwy gydol y gaeaf, 'sti.' Dringodd Meg at sedd y gyrrwr ac eistedd arni. 'Ac mae gen i afalau hefyd,' ychwanegodd gan roi ei llaw o dan y sedd i estyn powlen bren yn llawn afalau. 'Rannwn ni un.' Cymerodd y ddau gegaid bob un a'i basio'n ôl ac ymlaen nes mai dim ond calon yr afal oedd ar ôl.

'Ga i gadw'r galon?' gofynnodd Harri. 'Mi fasai Oci wrth ei fodd.' Rhoddodd Meg y galon iddo.

'Dwi'n meddwl bod rhywun wedi cael ei ladd yn y tanc yma, wyt ti?' meddai hi, yn edrych o'i chwmpas. 'Mae o wedi malu'n yfflon. Maen nhw i gyd wedi malu'n rhacs, o ran hynny. Mi fydda i'n dod yma yn y nos weithiau a dwi'n siŵr bod 'na ysbrydion yma. Dwi'n gallu'u teimlo nhw o 'nghwmpas i.'

'Mi welais i ddefaid neithiwr,' meddai Harri'n ysgafn.

‘Ond doedd ’na ddim golwg o ysbrydion, chwaith.’

‘Na, dwi o ddifri,’ meddai Meg, a golwg ddwys arni. ‘Dwi wedi siarad efo’r ysbrydion. Maen nhw’n gwrando rŵan. Mi wn i eu bod nhw.’

Doedd Harri ddim yn hoffi meddwl am y fath beth. Trodd y stori. ‘Pam mae’r holl danciau yma?’

Cododd ei hysgwyddau. ‘Sgrap, mae’n debyg. Dydyn nhw’n dda i fawr ddim byd arall, nac ydyn?’ Edrychodd ar Harri. ‘Ddwedaist ti wrthon ni neithiwr fod dy dad wedi cael ei ladd. Wyt ti wedi gweld ei ysbryd o erioed? Ydi o’n dod yn ôl i dy weld di weithiau?’

‘Nac ydi siŵr,’ meddai Harri. ‘Does dim angen i mi ei weld o. Dwi’n ei gofio fo, tydw? Hoffet ti weld medal Dad? Mae hi gen i yn fan’ma.’ Ymbalfalodd ym mhoced ei drowsus nes cael hyd i’r fedal, a rhoddodd hi yn llaw Meg.

Edrychodd Meg arni. ‘Be mae o’n ddeud arni hi?’ holodd.

‘*Am Ddewrder*. Medal am ddangos dewrder wrth hedfan awyren ydi hi,’ eglurodd Harri.

‘Be mae hynny’n feddwl?’

‘Ei fod o’n ddyn dewr.’

‘Dwi’n ddewr weithiau,’ meddai Meg. ‘Mae nhad i’n meddwi’n ofnadwy ambell dro, ond does arna i mo’i ofn o – dim ots pa mor feddw ydi o. Mae o’n iawn pan fydd o’n chwarae’r ffidil, ond weithiau mae o’n troi ar Mam ac yn ei churo hi. Dwi’n trio’i rwystro fo. Does arna i mo’i ofn o, wir yr.’ Sychodd y dagrau oddi ar ei boch. ‘Mae fedal ’ma’n ddel, tydi, fel math o froetsh. Ac mae ’na bìn arni hi hefyd. Ga i ’i gwisgo hi?’ Helpodd Harri hi i'w rhoi ar ei chôt weu.

'Fydd dy dad yn dy guro dithau hefyd weithiau?'

Nodiodd Meg a rhwbio'r fedal ar ei brest. 'Ambell dro,' atebodd. 'Mae hi'n edrych yn ddel, yn tydi? Pwy ydi'r dyn?'

'Y brenin ydi hwnna,' meddai Harri, gan geisio cuddio'r syndod yn ei lais. Roedd yn meddwl bod pawb yn adnabod llun y brenin.

Trodd Meg y fedal ac edrych ar wyneb y brenin. 'Fedra i ddim darllen,' meddai'n sydyn. 'Fedra i ddim darllen na sgwennu.'

'Dwyt ti ddim yn mynd i'r ysgol?' holodd Harri.

Ysgydwodd Meg ei phen. 'Mi es i i'r ysgol am bythefnos un tro, ond do'n i ddim yn ei hoffi. Roedden nhw'n fy ngalw i'n hen dincar budr, felly mi stopiais i fynd yno. Ond mi fedret ti fy nysgu i, medret – fy nysgu i ddarllen?'

'Mi dria i,' meddai Harri. 'Ond dwi'n fawr o giamstar fy hun.'

'Wyt, siŵr iawn,' meddai hi. 'Mae gen i lyfrau, tomen ohonyn nhw, ac mae 'na luniau ynddyn nhw hefyd.' Dilynodd Harri hi i gefn y tanc gan droedio'n ofalus drwy'r gwellt. Aeth Meg ar ei chwrcwd o flaen bocs agored. 'Maen nhw wastad yn dringo i mewn iddo fo,' meddai hi gan chwerthin. Cododd ddraenog yn ei dwylo a'i gladdu'n ddwfn yn y gwellt. Roedd pedwar llyfr yn y bocs, pob un ohonyn nhw'n flêr ac wedi rhwygo. 'Taid roddodd nhw i mi,' meddai Meg. Cydiodd Harri yn yr unig lyfr oedd yn gyfarwydd iddo fo, sef *Darllen a Chwarae*, ac eisteddodd Meg ac yntau wrth ochrau'i gilydd yn y gwellt.

Dysgodd Harri hi i ddarllen fel roedd ei fam wedi'i ddysgu o. I ddechrau, darllenodd frawddeg ar ei hyd, ac yna gan roi bys o dan bob gair gofynnodd i Meg ailadrodd y geiriau ar ei ôl drosodd a throsodd nes ei bod hi'n eu hadnabod. Roedd hi'n dysgu'n gyflym, fel petai hi'n ceisio gwneud i fyny mewn ychydig amser am yr holl addysg roedd hi wedi'i golli. Cynhyrfai'n ddifrifol pan oedd hi'n gwneud camgymeriad, ond drwy'r cyfan arhosodd yn benderfynol iawn. Dim ond hanner ffordd drwy'r llyfr oedden nhw pan glywson nhw Mari'n galw ar y ddau o bell i ffwrdd. Caeodd Meg y llyfr â chlep ar unwaith, a'i gau cyn ei roi'n ôl yn y bocs. 'Ddown ni'n ôl yn nes ymlaen, ie?' meddai hi. 'Ty'd 'laen, brysia. Dydw i ddim eisio iddyn nhw ddod i chwilio amdanon ni. Os dôn nhw o hyd i'r lle 'ma, mi gaiff y draenogod i gyd eu bwyta ac mi fydd Dad yn llosgi'r llyfrau. Mae'n gas ganddo fo lyfrau, am nad ydi o'n medru darllen.'

Gallent arogli'r cinio o bell. Erbyn iddyn nhw gyrraedd y gwersyll roedd Oci wrthi'n helpu'i hun o'r bowlen enamel roddwyd iddi. Eisteddai'r hen ŵr wrth ei hochr yn cosi'i chorun ac yn chwerthin. 'Mae hi'n hoffi potes cwningen,' meddai. Roedd yn gas gan Harri'r syniad o fwyta cwningod, a cheisiodd lyncu'r gegaid gyntaf heb flasu; ond blasodd y bwyd er ei waethaf, ac fel Meg wrth ei ochr claddodd y cyfan gan sychu pob diferyn o'r grefi â'i fara.

Roedd Harri wedi codi Oci ar ei lin a hithau'n llyfu'i fysedd pan glywson nhw sŵn y motor-beic yn agosáu.

'Mae Rolo wedi dod yn ei ôl,' meddai'r hen ŵr. 'Fo a'i

hen feic. Dwi wedi dweud a dweud wrtho fo am roi mwy o sylw i'r ceffylau a'r carafanau, neu hogi rhagor o gyllyll. Ond na – dim ond plesio'i hun mae Rolo bob amser.'

'Mae'r oes yn newid, Da,' meddai Mari.

'Yn rhy gyflym i mi, Mari fach,' meddai'r hen ŵr gan ysgwyd ei ben. 'Yn rhy gyflym i ni i gyd, os wyt ti'n gofyn i mi.'

Bownsiodd y beic i lawr y lôn dolciog at y gwersyll. Neidiodd Rolo oddi arno a rhedeg tuag atynt. 'Brysiwch!' gwaeddodd. 'Maen nhw'n dod!'

'Be wyt ti'n feddwl? Pwy sy'n dod?' meddai'r hen ŵr a chodi ar ei draed. Cydiodd Oci'n dynnach yng ngwddw Harri.

'Mae Zak wedi dweud y cyfan,' atebodd Rolo a'i wynt yn ei ddwrn. 'Ro'n i'n gwybod mai dyna wnâi o. Fiw i neb ddweud dim byd wrtho fo. Mae o mor llac ei dafod. Roedd o yn y dafarn efo'i ffidil yn chwarae alaw am bris peint, fel arfer. Glywais i o, Da. Mae o wedi dweud wrthyn nhw i gyd am yr hogyn a'r mwnci. Wrth gwrs, doedd neb yn ei gredu, felly be wnaeth Zak? Betio efo nhw. "Mi fetia i bum swllt mod i'n dweud y gwir," meddai wrthyn nhw. "Dowch i weld drosoch eich hunain, hogia." A dyna'n union maen nhw'n wneud. Maen nhw ar eu ffordd rŵan yn fan y tafarnwr – ac maen nhw'n dynn ar fy sodlau i.'

PENNOD NAW

'Ewch â'r ddau o'ma, reit handi,' meddai'r hen ŵr yn ddistaw. Gafaelodd Harri yn Oci a rhedeg drwy'r coed cyn gyflymed ag y gallai ar ôl Rolo a Meg. Roedd y fan i'w chlywed yn arafu wrth droi oddi ar y ffordd a rhuglo i lawr y lôn. Yna gellid clywed yr olwynion yn troelli a'r injan yn chwyrnu'n ddig. Oherwydd y gwendid yn ei ffêr, ni allai Harri gyflymu; sylweddolodd Meg ei fod mewn trafferth a daeth yn ôl ato. Cydiodd yn ei law, a rhedodd y ddau allan o'r coed i gae'r tanciau gan guddio efo Rolo y tu ôl i'r tanc cyntaf yn y rhes. Wrth sbecian dros drac y tanc y pwysai arno, gwelai Harri wydr ffenest flaen y fan yn fflachio rhwng y coed.

'Peidiwch â dod yn ôl nes i mi alw arnoch chi,' sibrydodd Rolo. 'Chwiliwch am rywle i guddio.'

'Ble?' gofynnodd Meg.

'Be am danc y draenogod?' awgrymodd Rolo, a gwenu'n wybodus. 'Ddaw neb hyd i chi yn fan'no ond i chi beidio gwneud smic. Fedri di gadw Oci'n dawel, Harri?'

Nodiodd Harri. 'Dwi'n gobeithio y galla i,' meddai.

'A finna,' meddai Rolo, 'oherwydd os dôn nhw o hyd i chi, mi fydd hi ar ben arnon ni i gyd.'

Wrth iddo droi i fynd, cydiodd Meg yn ei fraich. 'Rwyt ti'n gwybod am fy nraenogod i, felly?' meddai.

'Ydw wrth gwrs,' meddai Rolo.

'A'r llyfrau?'

Nodiodd Rolo.

'Ddwedi di ddim gair wrth neb, na wnei?'

'Rhaid i mi fynd,' meddai Rolo a cheisio tynnu'i fraich yn rhydd.

'Addo i mi, Yncl Rolo,' mynnodd Meg yn ffyrnig.

'Addo,' meddai Rolo ac i ffwrdd â fo, yn rhedeg yn ei ddyblau ar hyd y rhes o danciau. Gwyliodd y ddau wrth iddo fynd o gwmpas y coed ac ailymddangos o'r diwedd o'r tu ôl i garafán yr hen ŵr. Agorodd rhywun ddrws y garafán, a chlywodd Meg a Harri leisiau uchel; roedd llais Zak yn eu mysg. Gwelodd Harri'r hen ŵr yn codi ac yn mynd i gyfarfod y dynion, gyda Rolo'n sefyll wrth ei ochr. Yna tynnodd Meg yn ei law a rhedodd y ddau drwy'r cae tanciau, gydag Oci'n gafael yn dynn am wddw Harri.

Doedd cael Oci i mewn i'r tanc ddim yn waith hawdd. Feiddiai Harri mo'i gollwng rhag iddi ddianc, felly ceisiodd ei hestyn at Meg – ond roedd hi'n llawer rhy drwm i'w chodi mor uchel. Yn y diwedd bu'n rhaid iddo fustachu i fyny efo Oci'n hongian ar ei gefn, ei breichiau o amgylch ei wddw. Erbyn i Harri ollwng ei hun i lawr i'r tanc roedd o bron â thagu. Daeth Meg i lawr ar eu holau a chau'r caead ar ei hôl. Swatiodd i lawr yn y gwellt wrth ei ochr.

'Y draenogod,' sibrydodd Meg. 'Be os gwelith Oci'r draenogod?' Roedd Harri eisoes wedi meddwl am hynny; cydiai'n dynn yn Oci a'i chadw'n glòs wrth iddo gropian yn ofalus drwy'r tanc ac i fyny i sedd y gyrrwr. Petai hi'n gweld draenog, gwyddai Harri ond yn rhy dda am y bloeddio a'r sgrechian fyddai'n sicr o ddilyn. Dringodd Meg i mewn wrth ei ochr a chynnig dau afal i Oci. Gafaelodd hithau'n eiddgar ynddyn nhw.

'Dim ond chwech o afalau sy ar ôl,' meddai hi, wrth wylio Oci'n cymryd y brathiad anferth cyntaf. Dim ond tra oedd gan Oci afal yn ei llaw y byddai'n debygol o eistedd yn llonydd, ac roedd Harri'n poeni na fyddai hynny'n ddigon o amser.

'Roedd o'n gwybod,' sibrydodd yr eneth.

'Pwy?'

'Yncl Rolo. Roedd o'n gwybod am y lle 'ma drwy'r adeg, ac am fy nraenogod i. Os dwedith o wrth Dad am fy llyfrau, mi fydd o'n siŵr o'u llosgi.'

Clywyd sŵn siffrwd yn dod o'r gwellt y tu ôl iddyn nhw, a dringodd Oci ar ysgwydd Harri i fusnesa gan hwtian yn gyffrous. Mewn ymgais i dynnu ei sylw, cipiodd Harri un o'r afalau a'i ollwng ar ei lin; neidiodd Oci i lawr ar unwaith i'w nôl. '*Va bene*,' meddai Harri a thynnu'i law dros ei phen. '*Va bene*.' Cynigiodd Oci damaid o'i hafal i Harri, a gofalodd yntau gymryd darn bach yn unig. Roedd Oci bron wedi gorffen un afal yn barod, a doedd gan Harri ddim syniad am faint fydden nhw yno, nac am faint fyddai'n rhaid i'r afalau bara.

Eisteddodd Meg a Harri yn nhywyllwch distaw'r tanc yn gwrando, yn ofni clywed sŵn lleisiau'n dynesu. Aeth munudau hir heibio, a'r ddau'n meddwl bod y perygl wedi mynd heibio. Ond roedden nhw'n gobeithio'n rhy fuan. Roedd Oci newydd fwyta'r pumed afal pan glywson nhw besychiad ac wedyn lleisiau – yn wan i ddechrau, ond yn dod yn nes, yn groch ac yn flin. '*Va bene*, Oci,' sibrydodd Harri. '*Va bene. Va bene.*'

Zak oedd yn siarad. 'Dwi'n nabod g'rila pan wela i un, ac yn nabod hogyn pan wela i un o'r rheini hefyd. A dwi'n deud wrthoch chi, roedden nhw yn y gwersyll.'

'Os wyt ti'n dweud, Zak,' meddai llais arall o ganol y chwerthin gwawdlyd. 'Ond rydan ni wedi chwilio pob twll a chornel, yn do? Beryg iawn dy fod ti'n gweld pethau eto, pethau sy ddim yna. Eliffantod fydd hi'r tro nesa – rhai pinc – ac ambell jiráff hefyd!' Clywyd rhagor o chwerthin ac yna llais Zak yn gweiddi:

'Mae hi efo nhw, mi wn i ei bod hi. Yr hogan felltith 'na sy gen i. Mae hi wedi rhedeg i ffwrdd efo nhw, a'u cuddio nhw allan yn fan'na yn rhywle. Wedi ffansïo'r hogyn. Mae hi wastad yn diflannu i rywle ar ei phen ei hun, a dwi wedi'i gweld hi'n mynd i'r cyfeiriad yma sawl tro. Meg!' bloeddiodd. 'Meg! Ty'd yn ôl, ti'n 'y nghlywed i? Neu mi gei di stîd go iawn gen i. Cei wir.'

'Rhedeg i ffwrdd am ei bod hi wedi dychryn wnaeth hi, Zak,' meddai Rolo. 'Be arall wyt ti'n ddisgwyl a thithau'n dod adre'n chwil ulw gaib?' Roedden nhw'n union gyferbyn â'r tanc erbyn hyn. 'Y ddiod sy ar fai, yn gwneud i ti ddychmygu pethau. Doedd 'na ddim gorila, Zak, na bachgen chwaith. Fel arall, mi faswn innau wedi sylwi arnyn nhw hefyd, yn byddwn? A dwi'n sobor fel sant, tydw? Dwi'n dweud wrthat ti, does 'na ddim gorila. Mae Da'n dweud nad oes dim gorila. Mae Mari'n dweud nad oes dim gorila. Felly dyna ddiwedd arni.'

'Fo sy'n iawn, Zak,' meddai rhywun arall. 'Dwi ddim yn bwriadu treulio pnawn cyfa'n chwilio am gorila sy ddim yna. Pum swllt oedd y bet, Zak, a ti sy wedi colli. Tala dy ddyled rŵan, ac mi gawn ni i gyd fynd yn ôl am lymed bach.'

Gallai Harri a Meg glywed Zak yn mwnglian dan ei ddannedd ac yn cwyno wrth i'r criw ddechrau cerdded oddi yno. Daliodd Harri ei wynt gyhyd ag y medrai a'i ollwng allan yn ddistaw. Teimlodd law Meg yn cydio'n dynn yn ei law yntau yn y tywyllwch a gwasgodd hi; ac yna o'r tu ôl iddyn nhw yn y tanc daeth sŵn chwyrnu uchel. Wedi dychryn, sythodd Oci ar lin Harri a rhoi'r gorau i fwyta'i hafal. Clywsant sŵn traed yn dod yn ôl tuag at y tanc.

'Draw fan'na oedd y sŵn,' meddai Zak. 'Glywais i rywbeth. Dwi'n berffaith siŵr. Gwrandwch!' Ac unwaith yn rhagor, clywyd sŵn chwyrnu trwm, cyson o dan y gwellt. 'Ddwedais i, yn do!' ebychodd Zak gan guro ochr y tanc efo'i ffon. 'I mewn yn fan'ma mae o.'

Chwarddodd Rolo. 'Twt lol, dim gorila sy 'na, Zak,' meddai. 'Fy nhanc draenogod i ydi hwnna. Yma dwi'n eu cadw nhw, fel math o fferm ddraenogod. Mae gen i ddwsinau ohonyn nhw i mewn yn fan'na. Dwi'n eu t'wychu nhw, a'u rhostio mewn clai yn y tân. Maen nhw'n flasus iawn.'

Ymysg y chwerthin aflafar, clywai Harri a Meg hefyd riddfan llawn ffieidd-dod ac anghrediniaeth. 'Dach chi ddim yn 'y nghoelio i, nac ydach?' meddai Rolo. 'Gewch chi weld mod i'n dweud y gwir!' Clywai'r ddau blentyn sŵn traed yn dringo i fyny ochr y tanc; agorwyd caead y tŵr a syllai wyneb Rolo i lawr arnyn nhw. Gwyddai Meg yn union beth i'w wneud heb i neb ofyn iddi. Ar ôl chwilota yn y gwellt am ychydig eiliadau, roedd ganddi ddraenog yn belen yn ei llaw. Ymestynnodd Rolo i lawr a chydio ynddo. Winciodd arni hi a Harri cyn diflannu. 'Dyma ni,' meddai. Disgynnodd y caead â chlec uchel a'u gadael mewn tywyllwch. 'Draenog, yn union fel dywedais i. Mae gen i ddwsinau ohonyn nhw yn fan'na.'

'Rhyw fath o gorila pigog iawn ydi hwn, yntê Zak?' meddai rhywun, a cherddodd pawb i ffwrdd dan chwerthin. Daliai Zak i brotestio ei fod yn gwybod y gwahaniaeth rhwng gorila a draenog.

Arhosodd Meg a Harri'n llonydd nes clywed injan y fan yn tanio yn y pellter. Doedd dim modd iddyn nhw aros eiliad yn hwy, beth bynnag, gan fod Oci bellach wedi bwyta'r afalau i gyd ac wedi dechrau dangos diddordeb mawr yn y sŵn chwyrnu yn y gwellt y tu ôl iddi. Prin y gallai Harri ddal ei afael ynddi wrth ddringo allan o'r tanc. Roedden nhw wedi bwriadu aros yn eu hunfan nes clywed Rolo'n galw arnyn nhw, ond penderfynodd Oci achub y blaen arno. Wrth i Harri lacio'i afael am eiliad, tynnodd ei hun yn rhydd a phrancio i ffwrdd. Aeth Meg i chwilio amdani gan adael Harri i ddod o hyd i'w ffordd ei hun yn ôl. Pan gyrhaeddodd Harri y gwersyll, roedd Oci'n brasgamu o gwmpas y tân ar ddwy goes yn hwtian yn hapus, a brigyn yn ei llaw. Cerddai Mari i lawr grisiau'r garafán a'r babi yn ei breichiau. 'Doedd o ddim yn ei feddwl o,' meddai hi, yn ysgwyd ei phen. 'Dydi o byth.'

'Ydi o'n iawn?' gofynnodd Rolo.

'Yn cysgu fel twrch,' atebodd hithau, a gwelodd Harri fod ôl crio arni. 'Wnaiff neb na dim ei ddeffro fo rŵan nes bydd y dafarn yn agor heno.' Ochneidiodd yn drwm.

'Mi wnes i'ch rhybuddio chi, yn do?' meddai'r hen ŵr. 'Mae'r gwir yn brifo weithiau.' Ddywedodd neb yr un gair. 'Fedrwn ni ddim mentro rhagor. Mae o wedi siarad yn ei ddiod unwaith, ac mi wnaiff hynny eto; yn hwyr neu'n hwyrach, mi fydd rhywun yn gweld neu'n clywed y mwnci ac yn rhoi dau a dau at ei gilydd.' Edrychodd ar Rolo. 'Mae'n ddrwg gen i, Rolo, ond mae'n rhaid iddyn nhw fynd ar unwaith, cyn iddi fod yn rhy hwyr.' Trodd yr hen ŵr at Harri. 'Rwyt ti'n deall, yn dwyt 'ngwas i? Does gynnon ni ddim dewis. Does 'na ddim byd arall fedrwn ni wneud. Fel y dywedais i o'r blaen, mae'n rhaid i mi edrych ar ôl fy mhobl fy hun.' Curodd ei getyn ar y boncyff yr eisteddai arno. 'Well i ti a'r mwnci fynd yn ôl adre. Dyna dy le di.' Ceisiodd Mari brotestio, ond doedd dim yn tycio. 'Mae'n rhaid iddyn nhw fynd,' meddai'r hen ŵr. Roedd o wedi penderfynu, a doedd dim modd i neb newid ei feddwl.

'Wel, dydw i ddim yn bwriadu mynd adref byth eto,' meddai Harri. 'Nac ydw wir.'

Edrychodd yr hen ŵr arno. 'Dy fusnes di ydi hynny, 'ngwas i; ond rhaid i ti fynd o'r gwersyll 'ma, wyt ti'n 'y nghlywed i?'

'Os oes rhaid iddo fo fynd, Da,' meddai Rolo, 'mi a' i â fo ar y motor-beic. Mae 'na le iddo fo ac Oci yn y seidcar.'

Tan y funud honno doedd Meg ddim wedi dweud gair o'i phen, dim ond sefyll yn eu gwylio'n ddigyffro, ond yn sydyn rhedodd at ei thaid gan ymbil arno, ei breichiau o amgylch ei bengliniau. 'Gadewch iddo aros, Taid,' crefodd. Gwthiodd yr hen ŵr hi i ffwrdd yn garedig. 'O, plîs, Taid. Mae o'n fy nysgu i ddarllen. Dwi'n adnabod rhai geiriau'n barod, tydw, Harri? Plîs, plîs, Taid!' Cododd yr hen ŵr ar ei draed a cherdded oddi wrthi'n araf. Apeliodd Meg ar ei mam wedyn, ond trodd Mari draw gan ysgwyd ei phen. 'Waeth i ti heb, Meg,' meddai hi. Rhedodd Meg i gyfeiriad y coed, ei braich dros ei llygaid. Aeth Rolo ar ei hôl, a phan ddychwelodd ychydig funudau'n ddiweddarach roedd ar ei ben ei hun.

Ffitiai Oci'n ddidrafferth ar lawr y seidcar. Fe wnaethon nhw wely gwellt iddi yno, ac aeth hithau ati i wneud ei hun yn gyfforddus cyn setlo i lawr wrth draed Harri. Cafodd Roli dipyn o drafferth i danio'r injan, ond llwyddodd o'r diwedd. Cododd yr hen ŵr ei ben wrth i'r beic gychwyn, ei wyneb yn sbecian trwy gwmwl o fwg. Gafaelodd Mari yn llaw'r babi a'i chwifio ar Harri gan wenu'n drist. Doedd dim golwg o Meg yn unman. Cadwodd Harri olwg ar y coed yn y gobaith y byddai hi'n dod i ffarwelio, ond ddaeth hi ddim.

Ar ben draw'r lôn dolciog, edrychodd Roli i lawr arno. 'I ble, Harri?' meddai. 'Lerpwl neu'r Rhyl?'

'Rhyl,' meddai Harri, a theimlodd Oci'n ceisio dringo i fyny'i goesau. Gwthiodd hi i lawr yn garedig. '*Va bene*,

Oci,' meddai. '*Va bene.*' Er iddi geisio dringo ar ei lin dro ar ôl tro, ymdawelodd wrth i'r amser fynd heibio. Ymhen hir a hwyr, gorweddodd yn hapus yn y gwellt efo'i bara a'i rwdan.

Doedd dim modd siarad dros sŵn y beic yn rhuo yn ei flaen, ond bob hyn a hyn roedd Rolo'n gwenu a wincio ar Harri.

Cyn hir, roedd teimlad braf y gwynt oer ar ei wyneb yn fodd i leddfu llawer ar y sioc a'r tristwch a deimlai Harri wrth adael Meg mor sydyn. Tybed fydda i'n ei gweld hi byth eto, meddyliodd. Yr eiliad honno, dechreuodd yr injan ffrwtian, pesychu a marw. Clywodd Harri lais Rolo'n rhegi, ac arafodd y beic i stop wrth ochr y ffordd. 'Arhosa lle rwyt ti ac edrych ar ôl Oci,' meddai Rolo. 'Dwi ddim eisio iddi hi neidio allan a rhedeg ar y ffordd.' Bu'n ffidlan yn bryderus efo'r injan, yn parablu am ffiltyr olew a phlygiau a charbiwretor – pethau roedd o wedi sôn amdanyn nhw wrth Harri y bore hwnnw, ond roedd hwnnw eisoes wedi anghofio beth oedd eu pwrpas. Ymhen ychydig funudau, sythodd Rolo a sychu'i ddwylo ar gadach budr.

'Mi ddylai hynna wneud y tric,' meddai a gwthio'r cadach i'w boced. 'O, bron i mi anghofio. Gofynnodd Meg i mi roi hon i ti – ti piau hi, mae'n debyg.' Daliai Rolo'r fedal yn ei law. Roedd Harri wedi anghofio ei bod gan Meg. Doedd o ddim wedi gweld ei heisiau, hyd yn oed. 'A hon hefyd,' meddai Rolo, gan ddangos y gadwyn o fwclis brown tywyll a wisgai Meg. 'Mi ddaw â lwc dda i ti, meddai hi. Afalau derw ydyn nhw,' meddai Rolo wrth ei chlymu am wddw Harri. 'Fi gafodd hyd iddyn nhw, ond Meg ei hun wnaeth y gadwyn. Mae hi wedi dod â lwc dda iddi hi sawl gwaith, mae'n debyg.'

Roedd car du'n gyrru tuag atyn nhw. Roedd wedi arafu a bron wedi stopio cyn i Harri sylweddoli mai car heddlu oedd o. Agorwyd y ffenest y car.

'Mewn tipyn o helynt?' gofynnodd y plisman, gan edrych ar Harri, wedyn ar Rolo ac yn ôl ar Harri wedyn.

'Na, mae popeth yn iawn, diolch,' meddai Rolo. 'Mae'r beic wedi'i drwsio.'

'Peiriant da,' meddai'r plisman. Symudodd Oci ar draed Harri a theimlodd Harri ei dwylo ar ei bengliniau. Gwthiodd hi i lawr. '*Triumph*, yntê?'

Tynnodd Rolo ei law dros y tanc petrol a chodi'i goes drosodd. 'Does 'na ddim byd tebyg iddo fo,' meddai.

'Ydi hi'n oer yn y seidcar 'na, 'ngwas i?' holodd y plisman gan graffu mor galed ar Harri fel y bu'n rhaid iddo droi i ffwrdd.

'Mae 'mrawd bach i braidd yn swil,' meddai Rolo.

'Be sy gen ti rownd dy wddw?' chwarddodd y plisman.

'Afalau derw,' atebodd Harri.

'Hy! Dydyn nhw ddim yn edrych yn debyg i afalau i mi,' meddai'r plisman. Caeodd y ffenest ac i ffwrdd ag o dan chwerthin.

'Ti'n gweld?' meddai Rolo, yn wên o glust i glust. 'Roedd Meg yn iawn. Mae honna'n gadwyn lwcus.'

Roedd Oci'n hollol effro erbyn hyn ac yn cynnig ei rwdan i Harri. Cynigiodd Harri hi i Rolo a chrychodd yntau'i drwyn. 'Dim ffiars o beryg,' meddai, 'ond diolch i ti 'run fath.' Dechreuodd fwrw glaw ac edrychodd Rolo ar yr awyr. 'Well i ni fynd â chdi i'r Rhyl cyn i ti wlychu at dy groen,' meddai. 'Mi fyddwn ni yno mewn rhyw ddeng munud, os na thorrwn ni i lawr eto. Wyt ti'n gwybod y ffordd?'

Dywedodd Harri wrtho am fynd at y pier. Meddyliodd y byddai'n gwybod y ffordd at Gwêl y Don o'r fan honno. Wrth iddyn nhw deithio ar hyd y promenâd o'r pier edrychai popeth 'run fath ag arfer, ond heddiw roedd y môr a'r awyr yn llwyd. Doedd fawr neb ar y traeth, heblaw am gi neu ddau'n prancio yn y tonnau bas a cherddwr unig mewn côt law, ei ddwylo y tu ôl i'w gefn, yn mynd heibio'r union fan lle safai castell tywod Harri erstalwm.

Stopiodd Rolo y motor-beic gyferbyn â rhif dau ddeg dau a diffodd yr injan. 'Wyt ti'n siŵr mai dyma'r lle iawn, Harri?' gofynnodd. Roedd Harri'n berffaith sicr mai hwn oedd y tŷ iawn, heblaw'r ffaith bod y balconi'n goch ac nid yn wyrdd fel roedd o'n cofio. Roedd yr ardd ffrynt yn llai nag y disgwyliai, a doedd dim siglen yno chwaith. Gafaelodd Harri yn Oci a'i chodi allan o'r seidcar. '*Va bene, va bene*,' meddai'n dawel gan fwytho'i phen.

'Be mae hynna'n feddwl?' gofynnodd Rolo. 'Rwyt ti'n dweud hynna wrthi o hyd.'

'Dwi ddim yn siŵr,' atebodd Harri. 'Ond mae hi'n hoffi'r geiriau. Dyna'r cyfan wn i, ac maen nhw'n ei thawelu hi. Dydw innau chwaith ddim yn gwybod be 'di'u hystyr nhw.'

'Mi fydd gynnon ni hiraeth am y ddau ohonoch chi,'

meddai Rolo. 'Ond rydan ni'n bwriadu cadw darn bach ohonot ti!'

'Be ti'n feddwl?

'Ddywedodd Meg ddim wrthat ti?'

'Dweud be?' meddai Harri.

'Mae Meg a Mari wedi dewis enw i'r babi. Maen nhw am ei alw fo'n Harri.'

Byddai Harri wedi hoffi dweud llawer o bethau, ond ni lwyddodd i wneud dim ond mwmian ei ddiolch. Yna cydiodd yn llaw Oci a chroesi'r ffordd. Wrth giât rhif dau ddeg dau trodd a dweud, 'Dwi'n hoffi'r *Triumph*.'

Gwenodd Rolo a chodi'i law. 'Y beic gorau'n y byd,' meddai.

Tynnodd Harri anadl ddofn a churo ar y drws gydag Oci'n sefyll wrth ei ochr. Roedd hi wrthi'n pigo dail rhyw blanhigyn mewn potyn a'u blasu pan agorwyd y drws. Safai Anti Enid yno, ei hwyneb yn goch, gan lyncu'n galed a rhythu'n fud ar Oci am rai eiliadau. Cofiai Harri'r sgarff a wisgai.

'Fi sy 'ma,' meddai Harri.

'Wel ie siŵr!' atebodd Anti Enid. Ymestynnodd ei llaw i gyffwrdd â'i foch, gan ddal i syllu ar Oci. 'Ond be 'di hwnna?'

'Oci ydi'i henw hi,' meddai Harri. 'Tsimpansî ydi hi. Wnaiff hi ddim niwed i chi.'

'Wyt ti'n siŵr?'

'Yn berffaith siŵr,' meddai Harri. 'Mae hi'n union fel ni. Cyn belled â'ch bod chi'n ei hoffi hi, mi fydd hithau'n eich hoffi chithau.' Edrychodd Anti Enid heibio iddyn nhw i lawr y ffordd.

'Ydi dy fam efo ti?' holodd. Ysgydwodd Harri ei ben.

'Rydan ni wedi rhedeg i ffwrdd, Anti Enid,' meddai. 'Mae Oci a fi wedi dianc.'

'Well i ti ddod i mewn o'r glaw,' meddai Anti Enid gan roi ei braich am ei ysgwyddau.

Yng nghynhesrwydd y lobi tynnodd hi ei gôt. 'Mae 'na andros o olwg arnat ti,' meddai, gan wthio'r gwallt oddi ar ei dalcen. Clywodd Harri sŵn y motor-beic yn tanio, a gwrandawodd nes bod rhu yr injan wedi diflannu i'r pellter. Gwenodd Anti Enid arno. 'Dwi'n falch mai ata i y doist ti, 'ngwas i,' meddai gan ei gofleidio. 'Wyddost ti be fasa'n dda? Paned o siocled poeth.'

Roedd popeth yn nhŷ Anti Enid yn union fel roedd Harri'n ei gofio. Y tair hwyaden yn hedfan i fyny'r wal, y cloc mawr yn tician a'r llong yn hwylio heibio'r lleuad ar ei wyneb, a'r arogl unigryw hwnnw – cymysgedd o bolish ogla lafant a bwyd Anti Enid.

Anelodd Oci at y grisiau ar unwaith, ac roedd yn rhaid dod â hi'n ôl. Doedd hynny ddim yn hawdd, oherwydd wrth i Harri redeg ar ei hôl, swingiodd Oci dros y canllaw a rhedeg i fyny ar y landin. Roedd Anti Enid yn poeni – roedd hynny'n amlwg i Harri.

'Oes gynnoch chi rywbeth iddi ei fwyta?' meddai Harri. 'Ffrwythau, neu fara efallai?'

'Dwi wedi pobi bara bore 'ma,' meddai Anti Enid a brysio i'r gegin. Toc daeth yn ei hôl â chrystyn yn ei llaw, a defnyddiodd Harri hwnnw i ddenu Oci i lawr y grisiau. '*Va bene, va bene*,' meddai, a doedd dim angen dweud rhagor. Eisteddodd Oci ar lawr y gegin yn bwyta'i chrystyn tra oedd Harri'n yfed ei siocled poeth ac yn bwyta bisgedi – bisgedi *digestive*, fel ag erioed. Esboniodd bopeth wrth Anti Enid, o'r dechrau i'r diwedd, yn cynnwys yr hanes am y sipsiwn hyd yn oed. Gwyddai y gallai ymddiried yn llwyr yn Anti Enid. Fyddai hi byth yn dweud gair wrth neb, roedd yn sicr o hynny.

Ar ôl i Harri orffen siarad, ddywedodd Anti Enid 'run gair. Aeth â'r mygiau at y sinc a dechrau'u golchi. 'Felly dyna pam rydan ni yma, Anti Enid,' meddai Harri. 'Mi ddwedsoch fod croeso i mi ddod i aros unrhyw adeg. Mi ddwedsoch chi hynny, yn do?'

'Do siŵr iawn, pwt,' atebodd Anti Enid.

'Ti'n gweld, Oci,' meddai Harri'n fuddugoliaethus. 'Mi ddwedais i y byddai hi'n edrych ar ein holau ni.' Gwelai Harri fod Oci wrth ei bodd efo sŵn y dŵr yn rhedeg i mewn i'r sinc. Neidiodd hi i fyny ar gadair er mwyn gallu gweld yn well. Sylweddolodd Harri beth roedd hi'n mynd i'w wneud, ond roedd yn rhy araf i'w rhwystro. Sbonciodd Oci ar draws y llawr a neidio ar y sinc. Pe bai Anti Enid heb sgrechian fyddai dim byd ond gwydryn neu ddau wedi torri, ond yn lle hynny gwaeddodd yn uchel. Sgrechiodd Oci mewn dychryn a neidio allan o'r sinc gan wasgaru gwydrau a llestri i bob cyfeiriad a gwthio dysgl wydr nes bod honno'n rholio'n araf at yr ymyl. Roedd y ddysgl fel petai'n hofran ar yr ymyl am eiliad cyn syrthio a malu'n deilchion ar y llawr. Roedd Anti Enid yn wyn fel y galchen, a daliai ei llaw dros ei cheg mewn dychryn, heb allu yngan gair.

'Doedd Oci ddim yn bwriadu gwneud drwg,' meddai

Harri. 'Wir, doedd hi ddim.' Daliodd ei law allan i Oci a chynnig darn o'i fisged iddi. '*Va bene*, Oci, *va bene*.' Daeth Oci allan o'i chornel yn araf a rhedeg o gwmpas y gegin gan ofalu cadw'n ddigon pell oddi wrth Anti Enid. Dringodd ar lin Harri a chuddio'i hwyneb yn ei siwmper dan grio. 'Mae'n wir ddrwg gen i, Anti Enid,' meddai Harri. Gallai weld bod dagrau yn ei llygaid hithau wrth iddi blygu i godi'r darnau o wydr. 'Mae hi'n cynhyrfu braidd weithiau, ond doedd hi'n bwriadu dim drwg. Wir.'

'Wn i hynny, 'ngwas i,' meddai Anti Enid. 'Ddylwn i ddim bod wedi sgrechian, ond fedrwn i ddim peidio.' Edrychodd ar Harri, yn gwneud ei gorau glas i wenu drwy'i dagrau. 'Dim ots. Mi fydda i wedi clirio'r llanast mewn chwinciad. Dydan ni ddim eisio iddi hi frifo'i thraed, nac 'dan? Rŵan dos di a'r mwnci i fyny'r grisiau i gael bath poeth, braf. Rhag i ti ddal annwyd, yntê? Llenwa'r bath a socian ynddo fo am sbel go lew, 'ngwas i. Mae 'na ddigon o ddŵr poeth.'

Yn yr ystafell ymolchi, symudodd Harri'r poteli a'r brwshys a'r mygiau o afael Oci cyn agor y tapiau. Llanwodd y bath bron at yr ymylon a gorwedd yno gan fwynhau'r gwres. Ar y dechrau, roedd Oci braidd yn nerfus. Eisteddodd am dipyn ar sedd y toiled yn crafu a gwylio Harri yn y bath. Bob hyn a hyn plygai drosodd, cyffwrdd y dŵr â blaenau'i bysedd a'i flasu. Cymerodd beth amser cyn iddi fod yn ddigon dewr i sefyll wrth ochr y bath; blasodd y sebon, ond doedd hi ddim yn ei hoffi. Cwpanodd ei llaw yn y bath ac yfed dŵr ohoni. Yna dechreuodd daro'i llaw yn ysgafn ar y dŵr, yn araf i ddechrau; ond yn fuan trodd yn slapio bywiog. Yna neidiodd i fyny ac yn i lawr yn hwtian yn hapus wrth i'r dŵr slotian a thasgu dros ymyl y bath. Doedd dim modd i Harri ei rhwystro bellach. Erbyn i Oci roi'r gorau iddi roedd pwll o ddŵr ar y llawr a hithau'n wlyb domen. Tynnodd Harri'r plwg cyn iddi fedru gwneud rhagor o lanast, yna sychodd y llawr â'r mat, cystal ag y gallai. Aeth yn dipyn o sgarmes rhwng y ddau wrth iddo geisio cael gafael ar ei liain a'i ddillad oddi arni, ond o'r diwedd roedd o'n sych ac wedi'i wisgo'n barod i fynd i lawr y grisiau. Cyrcydodd o flaen Oci a'i rhwbio hithau efo'r lliain.

'Mae'n rhaid i ti fod yn hogan dda, Oci,' meddai Harri. 'Os byddi di'n bihafio fel hyn, wnaiff Anti Enid ddim gadael i ni aros.' Tynnodd Oci'r lliain o'i afael a'i luchio ar y llawr. Doedd hi ddim eisiau cael ei sychu. 'Mae'n rhaid i ti fihafio, Oci. Mae'n *rhaid* i ti.' Trodd Oci ei phen oddi wrtho. 'Rwyt ti eisio aros yma, dwyt, Oci?' meddai Harri gan fwytho'i phen. 'Does gynnon ni unlle arall i fynd. Mae'n rhaid i ti fod yn hogan dda. *Va bene, va bene.*'

A bihafiodd Oci gystal ag roedd Harri wedi'i gweld yn gwneud erioed. Edrychai Anti Enid braidd yn bryderus pan aethon nhw i lawr y grisiau, ond unwaith roedd Oci wedi setlo mewn cadair yn cnoi bisgeden, edrychai dipyn hapusach. Gwelodd Harri fod pob ornament bellach wedi'i roi ar y silff uchaf, yn ogystal â'r radio oedd ymlaen erbyn hyn. Edrychodd Oci i fyny ar y radio a hwtian yn dawel bob hyn a hyn.

'Mae hi'n hoffi miwsig,' meddai Harri, 'yn arbennig y

ffidil. Mistar Neb ydi'r rheswm dros hynny – y clown hwnnw yn y syrcas ro'n i'n sôn amdani. Roedd o'n chwarae'r ffidil, ydach chi'n cofio? A Zak yng ngwersyll y sipsiwn hefyd.' Nodiodd Anti Enid a gwenu'n bryderus. Eisteddodd wrth ochr Harri ar y soffa a darllen sawl stori iddo. Roedd hi'n cofio mai *Llyfr Mawr y Plant* oedd ei hoff lyfr. Ond wrth gwrs, doedd hi ddim yn sylweddoli bod Harri'n gallu darllen yn dda ar ei ben ei hun erbyn hyn. Soniodd yntau 'run gair chwaith. Ar ôl gorffen stori 'Siôn Blewyn Coch', gafaelodd Anti Enid yn Harri a'i gusanu.

'Meddylia amdanat ti'n dod yr holl ffordd yma ar dy ben dy hun,' meddai.

'Do'n i ddim ar fy mhen fy hun,' meddai Harri. 'Roedd Oci efo fi. Edrychwch arni hi, Anti Enid.' Cysgai Oci'n sownd yn y gadair freichiau. 'Mi wna i baned o de i ni, ie?' meddai Anti Enid, gan edrych ar ei wats.

Roedd hi'n dal yn y gegin yn gwneud y te pan glywodd Harri gar yn stopio y tu allan i'r tŷ. Clywodd ddrws car yn cau; deffrodd Oci'n sydyn a dod draw at y soffa i eistedd yn gysglyd ar lin Harri. Ni chymerodd Harri ragor o sylw nes iddo glywed y drws ffrynt yn agor. Aeth at y ffenest. Safai Anti Enid wrth y giât yn siarad efo rhywun. Roedd hi'n tywyllu erbyn hyn, ac ar y dechrau roedd yn anodd gweld pwy oedd yno.

'Dwi wedi'ch ffonio chi ers hydoedd,' meddai Anti Enid wrth yr ymwelydd. 'Ble buoch chi mor hir?' Yna, adnabu Harri y llais.

'Mae'n ddrwg gen i, Mrs Morgan.' Llais Dafydd oedd

o. 'Roedd 'na draffig trwm ar y ffordd allan o Lerpwl. Ble mae o, felly?'

'Yn y tŷ,' atebodd Anti Enid. 'Maen nhw yn yr ystafell fyw. Y ddau ohonyn nhw.'

PENNOD DEG

Doedd gan Harri ddim amser i feddwl am y ffaith ei fod wedi cael ei fradychu – nac i feddwl am unrhyw beth arall chwaith. Er bod Oci'n protestio, llusgodd Harri hi ar hyd y lobi, a thrwy'r gegin fach at y drws cefn. Cofiai'r ardd lysiau a'r pwll tywod, a'r giât fach haearn yn arwain i'r lôn gefn gul. Dyna'r ffordd yr arferai fynd efo'i fam. Ac yntau'n gwbl ddall yn y tywyllwch, baglodd dros ryw ddarnau o bren ac wedyn dros rywbeth a swniai'n debyg i gan dyfrio blodau – ond glaniodd ar ei ochr yn y pwll tywod yn dal i afael yn Oci, ei ffêr yn dyrnu mewn poen. Pan gododd ar ei draed eto, sylweddolodd na fedrai wneud fawr ddim ond hopian. Clywai leisiau'n dod o'r tŷ. Roedd Oci'n gwneud ei gorau i dynnu'n rhydd o'i afael, ond ni feiddiai Harri ei gollwng. Gwyddai na fyddai byth yn dod o hyd iddi yn y tywyllwch. '*Va bene, va bene*, Oci,' meddai, yn mwytho'i phen. 'Paid â phoeni. Wna i ddim gadael iddyn nhw ein dal ni. Dwi'n addo. Ty'd rŵan.'

Cafodd Harri hyd i'r giât heb fawr o drafferth, a stryffaglodd i lawr y lôn gul yn rhedeg a hopian orau gallai. Erbyn iddyn nhw gyrraedd ceg y lôn roedd ei lygaid yn dechrau dygymod â'r tywyllwch. Ar draws y lôn ac i fyny'r allt gwelai'r blwch ffôn, a thu draw i hwnnw y car tu allan i rif dau ddeg dau. Gwisgai'r gyrrwr gap â phig ac roedd yn tanio sigarét.

'Awn ni'n ara deg bach, Oci,' meddai Harri, 'rhag tynnu sylw aton ni'n hunain.' Aeth i lawr i gyfeiriad y promenâd a'r traeth, oherwydd dyna'r unig ffordd roedd yn gyfarwydd â hi. Meddyliodd efallai y gallen nhw guddio mewn cwt ymdrochi, neu yn un o'r cychod ar y traeth. Llygadodd amryw o bobl y ddau'n mynd heibio, a gwyddai Harri mai amdano fo ac Oci roedden nhw'n siarad wrth frysio dan gysgod eu hymbarelau at y promenâd.

Roedd lampau'r stryd ynghynn ar hyd y ffordd, a gwelai Harri oleuadau'r pier yn cael eu hadlewyrchu yn nŵr y môr. Mi af i ar hyd y traeth, penderfynodd. Welai neb mohonyn nhw i lawr yn fan'na, ac efallai y gallen nhw ddod o hyd i le i guddio.

Roedd rhedeg a hopian ar draws y tywod yn waith caled, ond roedd dal ei afael yn Oci'n waith anoddach fyth i Harri. Ceisiodd agor pob drws yn y rhes o gytiau ymdrochi, ond roedden nhw i gyd dan glo. Roedd pob cam yn achosi poen arteithiol iddo, ac erbyn hyn ni fedrai wneud dim ond baglu yn ei flaen. Ar ôl iddo fynd cyn belled ag y medrai ei ffêr ei gario, eisteddodd i lawr a gorffwys ei gefn ar y morglawdd i adennill ei nerth ac esmwytho'r boen yn ei ffêr. Wrth eistedd yno, yn cael ei chwipio gan y glaw, sylweddolodd Harri nad oedd ganddo unrhyw fan arall i guddio, nac unman i redeg iddo. Sychodd y dagrau a'r glaw oddi ar ei wyneb wrth i Oci ddringo ar ei lin a dechrau chwarae gyda'i gadwyn o fwclis afalau derw. Gwthiodd Harri ei bysedd i ffwrdd a chodi cragen fawr o'r tywod wrth ei ymyl. 'Mi ddywedodd Mam rywdro fod modd clywed y môr yn y cregyn yma,' meddai, a'i dal wrth glust Oci. 'Wyt ti'n ei glywed?' Cymerodd Oci y gragen oddi arno a'i harogleuo. Chwarddodd Harri drwy ei ddagrau a'i chofleidio'n dynn. Y cyfan a welai o'i flaen oedd brig y tonnau a'r môr tywyll tu hwnt. 'Dyna'r unig ffordd allwn ni fynd rŵan,' meddai. 'Ond dydi o'n fawr o help i ni, nac ydi, Oci? Fedra i ddim nofio, na fedraf?'

Roedd goleuadau fflachlampau a lleisiau'n dod o'r promenâd uwch eu pennau, y goleuadau'n ysgubo allan dros y traeth at lan y dŵr, ac yna'n symud ar draws y tywod tuag atynt. Cododd Harri ar ei draed a rhedeg.

'Mae'n rhaid eu bod nhw yma yn rhywle,' meddai llais Dafydd. 'Hwn oedd ei hoff le, yn ôl ei fam. Fyddai ganddo fo ddim syniad ble arall i fynd. Ewch chi i lawr ar y traeth, Sarjant, ac mi arhosa i fyny yma.'

Rhedodd Harri yn ei gwman ar hyd y morglawdd. Ei unig obaith bellach oedd cuddio rhag llafn golau'r fflachlamp. Byddai wedi llwyddo hefyd, oni bai iddo faglu ar draws craig. Sgrechiodd Oci a thynnu'n rhydd wrth i Harri syrthio ar ei wyneb yn y tywod. Pan gododd ei ben roedd hi'n sgrialu ar hyd y traeth a'r golau'n ei dilyn. Yna, o'r düwch, rhuthrodd dau gi ar hyd y traeth. Am funud gorweddodd Harri yno'n gwylio Oci'n cyrraedd y grisiau i fyny at y promenâd. Gwelodd hi'n codi ar ei thraed ac yn edrych yn ôl fel petai'n aros amdano. Yna roedd hi wedi mynd, a'r cŵn yn udo ac yn cyfarth ar ei hôl.

Rhedodd Harri cyn gyflymed ag y medrai ar ei ffêr boenus, gan hopian i fyny'r grisiau ac yna ar hyd y promenâd ar eu holau. Gwelai Oci ymhell o'i flaen, yn gysgod du yn rasio o dan olau'r lampau. Y tu ôl iddo clywai lais Dafydd yn gweiddi arno i stopio. Edrychodd dros ei ysgwydd unwaith. Gallai Dafydd fod yn un o ddau ffurf oedd yn rhedeg ar ei ôl ar hyd y promenâd. Roedd un ar y blaen i'r llall, a'r bwlch rhyngddynt yn cau. Ond nid ei broblem o oedden nhw bellach.

Wrth glywed Oci'n sgrechian mewn arswyd, daeth nerth newydd i goesau Harri, a rhedodd yn ei flaen gan anwybyddu'r boen yn ei ffêr. Gwelodd freichiau rhywun yn ymestyn o'i flaen i geisio'i atal – ar orchymyn Dafydd – ond llwyddodd Harri i igam-ogamu o'i gwmpas a'i osgoi. Gwelodd y cŵn yn gwyro'n sydyn oddi ar y promenâd ac yn rhedeg ar y pier. Milgwn oedden nhw, yn ôl pob tebyg. Doedd dim golwg o Oci erbyn i Harri gyrraedd y pier, ond roedd sŵn udo'r cŵn yn dangos eu bod nhw'n gwybod lle roedd hi. Rhuthrodd y ddau gi i fyny ochr chwith y pier a dilynodd Harri nhw, yn bloeddio i geisio'u dychryn; ond roedd o'n rhy bell iddyn nhw hyd yn oed ei glywed.

Welodd Harri mo'r sgarmes a ddigwyddodd ar ben draw'r pier, mewn llecyn tywyll rhwng dwy lamp. Ond fe'i clywodd – cymysgedd aflafar o sgrechian dychrynllyd, sgyrnygu a chwyrnu, a griddfan dolurus – yna, sblash a distawrwydd. Rhedodd y cŵn dan olau'r lampau, eu tafodau'n hongian a'u cynffonnau'n chwifio.

'Na!' gwaeddodd Harri. 'Na!' Y tu ôl iddo clywai sŵn gwag traed yn dyrnu ar hyd y pier. Roedden nhw'n dod yn nes ac yn nes ato. Credai Harri ei fod yn gwybod am yr union fan lle roedd y cŵn wedi dal Oci, ond pan gyrhaeddodd yno ac edrych dros y rheilen doedd dim byd i'w weld yn ymchwydd y tonnau du o dan y pier. Yna, ymhellach o'r lan ac i'r dde iddo, clywodd sgrech.

Roedd hynny'n ddigon i Harri. Ni phetrusodd am eiliad cyn dringo drwy'r rheiliau. Safodd ar yr ymyl am eiliad, yna neidiodd. Wrth iddo syrthio, clywai lais Dafydd yn galw: 'Paid, Harri! Paid!' Ac yn sydyn roedd y dŵr hallt yn llenwi ei lygaid, ei glustiau a'i geg, ac yntau'n ymladd am aer. Pan gododd i'r wyneb o'r diwedd, cafodd ei luchio i fyny ac i'r ochr gan don fawr, a'i sugno i lawr eto cyn llwyddo i dynnu anadl. Waeth pa mor galed roedd Harri'n cicio a ffustio, gwrthodai'r môr roi cyfle iddo anadlu cyn ei orchuddio eto. Un tro, pan ddaeth i'r wyneb, cafodd gip ar y pier uwch ei ben. Pwysai amryw o bobl ar y rheilen, yn gweiddi i lawr arno, ond doedd ganddo ddim syniad beth roedden nhw'n ei ddweud, a chafodd ei lusgo i lawr eto fyth. Teimlai ei goesau'n sythu yn yr oerfel, a doedd ganddo ddim nerth i gicio. Bob tro y suddai, cymerai fwy o amser i godi i'r wyneb. Yna meddyliodd iddo weld Oci – roedd hi bron o fewn cyrraedd, a galwodd arni – ond llanwyd ei geg â dŵr cyn i unrhyw sŵn ddod allan ohoni a suddodd fel carreg unwaith yn rhagor.

Meddyliodd Harri fod y lleuad yn syrthio o'r awyr, a chododd ei law i amddiffyn ei ben. Yna tasgodd y lleuad i'r dŵr yn union wrth ei ochr; ymestynnodd yntau allan amdani a chydio ynddi, gan besychu dŵr y môr allan o'i ysgyfaint. Gallai deimlo rhaff ar ochr y lleuad, a sylweddolodd mai bwi achub oedd hi. Gwyddai, pe gallai ddal ei afael yn y rhaff, y byddai'n arnofio ac na fedrai'r môr ei lusgo i lawr a'i foddi bellach. Chwiliodd o gwmpas am Oci a galw arni dro ar ôl tro. Clywai sŵn gweiddi uwch ei ben. Edrychodd i fyny a gweld dyn mewn crys a throwsus yn sefyll o dan y lamp wrth y rheiliau. Plymiodd y dyn i'r dŵr a diflannu. Dim ond pan ddaeth pen i'r golwg ac ysgwyd y dŵr o'i wallt y gwelodd Harri mai Dafydd oedd o. 'Oci!' gwaeddodd Harri. 'Fedra i ddim cael hyd i Oci!' Gwaeddodd Dafydd yn ôl arno, ond doedd Harri ddim yn gallu ei glywed.

Nofiodd Dafydd ato a chydio yn y bwi achub. 'Mae'n rhaid i chi gael hyd iddi!' gwaeddodd Harri. 'Mae'n *rhaid* i chi. Roedd hi draw fan'cw. Draw fan'cw!'

'Iawn. Mi wna i 'ngorau,' meddai Dafydd. Cododd y bwi achub a'i ollwng dros ben Harri. 'Ond dal di d'afael yn dynn, Harri, wyt ti'n clywed? Dal d'afael!' Chwifiodd Dafydd ei fraich i gyfeiriad y pier. Gwyliodd Harri ddyn arall yn neidio oddi ar y pier i mewn i'r dŵr, gan lanio ychydig droedfeddi oddi wrtho. 'Edrychwch ar ei ôl o,' gwaeddodd Dafydd, a nofio allan i'r tywyllwch.

Erbyn hyn, doedd gan Harri ddim teimlad yn hanner isaf ei gorff. Roedd y dyn yn gafael yn y bwi ag un llaw. 'Cydia'n dynn, 'ngwas i; a chadwa dy geg ar gau,' meddai. 'Mi fyddi di'n saff mewn chwinciad.' Nofiodd ar ei gefn, gan lusgo Harri gydag o. Llifodd y tonnau dros eu pennau amryw o weithiau, ond cadwodd Harri ei lygaid a'i geg ar gau. Ar ôl i bob ton fynd heibio ac yntau'n sylweddoli nad oedd wedi suddo, poenai lai am y don nesaf.

Roedd achubwr Harri'n sgwrsio'n wamal wrth fustachu a chwythu'i ffordd drwy'r tonnau. 'Noson braf i nofio,' meddai. 'Pwy fyddai'n 'sgodyn, yntê?' Ond gyda'i gellwair roedd geiriau o gefnogaeth hefyd. 'Ddim yn bell eto, boi. Cwyd dy galon. Fyddwn ni ddim yn hir.' Teimlai'n hir iawn i Harri, ond yn sydyn fe'i golchwyd ar y lan; clywai leisiau o'i gwmpas a theimlo dwylo'n gafael am ei ysgwyddau. Fe'i codwyd o'r bwi a'i gario i fyny'r traeth. Roedd tyrfa fawr o bobl wedi ymgasglu yno. Fflachiai goleuadau yn ei wyneb, ac roedd Anti Enid yn eu canol, yn ffysian yn swnllyd.

'Rhowch o i mi,' meddai. 'Mi ofala i amdano fo. 'Dan ni angen blancedi, pentwr ohonyn nhw. A digon o de poeth.'

'Ddwedodd rhywun fod 'na fwnci allan yn fan'na,' meddai rhywun.

'Oes, mae 'na,' meddai Anti Enid.

'Tsimpansî ydi hi,' meddai Harri wrth iddyn nhw ei roi i orwedd ar y tywod. Lapiodd Anti Enid gôt amdano.

'Dy dad sy allan yn fan'na, yntê?' meddai hi.

'Ie,' meddai Harri, ei gorff yn crynu a'i ddannedd yn clecian.

'Rhaid i ni fynd i'r tŷ, pwt,' meddai Anti Enid, gan ei dynnu'n nes ati. 'Mae'n rhaid i ti gynhesu.'

'Na,' meddai Harri. 'Dwi'n aros yma.' Edrychodd ar Anti Enid. 'Mi neidiodd Dafydd i mewn ar f'ôl i ac wedyn mi aeth ar ôl Oci. Mae'n *rhaid* i mi aros.' Roedd ei lais yn dangos yn glir na fyddai modd ei berswadio i newid ei feddwl. Gofalodd Anti Enid fod llwyth o gotiau a blancedi drosto, yna eisteddodd i lawr wrth ei ochr i aros.

O'r pier saethwyd cyfres o oleuadau Verey i'r awyr, pob un yn dod â golau dydd i'r traeth am ychydig eiliadau byr. Safai pobl at eu pengliniau yn yr ewyn yn sgleinio'u fflachlampau dros y tonnau.

Caeodd Harri ei lygaid a gweddïo. Gweddi'n bargeinio efo Duw. Addawodd fynd ag Oci'n ôl at Signor Blondini petai Duw'n ei hachub. Ond sylweddolodd ei fod yn gweddïo mwy a mwy nid am Oci, ond am Dafydd – gweddïai'n daer y bydden nhw'n achub Dafydd. Addawodd y byddai'n gwneud beth bynnag roedd Duw ei eisiau, unrhyw beth o gwbl, dim ond i Dafydd fod yn ddiogel. Ac addawodd yn bendant na fyddai'n rhedeg i ffwrdd byth eto, nac yn chwarae triwant. 'O Dduw,' crefodd Harri'n uchel, 'paid â gadael iddyn nhw foddi. Mi wna i unrhyw beth. Mi gei di unrhyw beth gen i, ond plîs paid â gadael iddyn nhw foddi.' A'i ben ar ei freichiau siglodd yn ôl ac ymlaen, yn ailadrodd ei addewidion drosodd a throsodd. Yna, yn sydyn, gwaeddodd rhywun eu bod yn gweld rhywbeth yn y môr, a bu cynnwrf mawr. Cododd Harri ei ben i wylio. Rhedodd nifer o bobl allan drwy'r ewyn, ond dim ond darn o froc môr oedd yno. Gweddïodd Harri eto. Saethwyd rhagor o oleuadau Verey i oleuo'r awyr. Gwelai Harri'r parasiwt bychan ar bob un wrth iddyn nhw syrthio, ond doedd dim golwg o unrhyw beth arall. Clywyd sŵn gwn yn tanio yn y pellter, a dywedodd rhywun fod y bad achub wedi'i lansio.

'Dyma ti, pwt,' meddai Anti Enid a rhoi mygaid o de yn ei ddwylo. 'Yfa hwn.' Doedd dim teimlad o gwbl yn ei ddwylo. Bu'n rhaid iddi hi ei helpu i gydio yn y mẁg, ond llifodd y cynhesrwydd drwy ei gorff â phob cegaid, gan lonyddu clecian ei ddannedd a dod â pheth teimlad yn ôl i'w fysedd. Gafalelodd Anti Enid amdano a'i gofleidio'n dynn.

'Arna i mae'r bai, pwt,' meddai hi. 'Petawn i heb eu ffonio nhw, fyddai dim o hyn wedi digwydd. Ond be arall wnawn i? Roedd yn rhaid i mi ddweud wrth dy fam a dy dad. Fedret ti ddim aros efo fi am byth, na fedret, pwt? Roedd yn rhaid i ti fynd adref. Fan'no mae dy le di. A fedrwn i ddim dioddef meddwl am dy fam druan, a hithau heb syniad lle roeddet ti. Pan siaradais i efo hi ar y ffôn roedd hi'n poeni'n ddifrifol. Ti ydi cannwyll ei llygaid hi – wyt ti'n sylweddoli hynny? Ac mae gan Dafydd feddwl y byd ohonot ti, fel finnau. Pam arall fyddai o wedi neidio i mewn ar d'ôl di?'

Roedd Harri eisoes wedi bod yn meddwl am hynny. Roedd pob gair a ddywedai Anti Enid yn wir, heblaw nad ei bai hi oedd hi bod Dafydd ac Oci yn y môr. Nid Anti Enid oedd wedi rhedeg i ffwrdd efo Oci, nage? Fo, Harri, oedd ar fai. Neb ond y fo. 'O, Dduw,' gweddïodd yn ddistaw, 'mi gei di gymryd popeth, hyd yn oed medal Dad, hyd yn oed fy mwclis lwcus, ond plîs ty'd â Dafydd ac Oci'n ôl yn saff. Paid â gadael iddyn nhw farw.' Doedd o ddim wedi meddwl am y fedal tan yr eiliad honno, ond yn sydyn sylweddolodd na allai ei theimlo ym mhoced ei drowsus. Meddyliodd efallai fod hynny oherwydd fod ei goesau mor oer, felly ymbalfalodd o dan y cotiau a'r blancedi, gan dyrchu i waelodion ei bocedi. Roedd hi wedi mynd – doedd dim dwywaith am hynny.

'Anti Enid,' meddai, 'dwi'n meddwl mod i wedi'i cholli hi.'

'Wedi colli be, pwt?'

'Y fedal – medal Dad. Mae'n rhaid ei bod hi wedi syrthio i'r môr.'

'Mae hi'n ôl yn lle mae hi i fod, felly,' meddai Anti Enid mewn llais llym nad oedd Harri erioed wedi'i glywed o'r blaen.

Edrychodd Harri arni. 'Be dach chi'n feddwl?' meddai. Ddywedodd Anti Enid 'run gair am sbel.

'Dywedodd dy fam hanes dy dad wrtha i, yr un fu farw yn y rhyfel,' meddai hi, 'a sut y boddodd o yn y môr. Roedd hi mor falch ohono fo. Os wyt ti wedi colli'i fedal o, yna mae'n debyg ei bod hi ar waelod y môr, a dyna lle dylai hi fod, yntê? Wedi'r cyfan, ei fedal o ydi hi, nid d'un di. Mae'r rhyfel drosodd ers tro bellach. Mae'n bryd anghofio a dechrau meddwl am fyw unwaith eto. A sôn am fyw, pwt,' meddai hi, gan wasgu'i ysgwydd, 'drycha be wela i.' Pwyntiai ar draws y traeth. Roedd Dafydd yn camu o'r tywyllwch, yn cario Oci yn ei freichiau.

'Mi gawson ni'n cario gan y llanw draw oddi wrth y pier,' meddai Dafydd. 'Gawson ni'n sgubo'n bell i lawr y traeth, do, 'mach i?' Cwynodd Oci a chladdu'i phen yn ei ysgwydd. Gwaeddodd rhywun fod y ddau'n iawn, a'r eiliad honno ffrwydrodd golau Verey arall uwchben. Edrychodd Oci i fyny ar y golau a hwtian, gan agor a chau'i llygaid. Rhedodd pawb tuag atyn nhw, yn gweiddi ac yn chwerthin mewn rhyddhad.

'Ydi Oci'n iawn?' gofynnodd Harri, gan godi ar ei draed ac ysgwyd y pentwr cotiau i ffwrdd.

'Braidd yn wlyb,' meddai Dafydd dan wenu, 'ac wedi llyncu tipyn o ddŵr, ond mi fydd hi'n iawn. Mae hi'n teimlo piti drosti'i hun, wrth gwrs, a dydi hi ddim yn hoff iawn o nofio.'

'Ella nad ydi tsimpansîs yn medru nofio,' meddai Harri.

'Fedri dithau ddim nofio chwaith,' meddai Dafydd, 'ond mi neidiaist i mewn ar ei hôl hi.' Roedd Oci fel petai'n adnabod llais Harri gan iddi ddechrau gwingo a stryffaglio ym mreichiau Dafydd. 'Dyma ti,' meddai Dafydd, a rhoi Oci i Harri. 'Chdi biau hi, yntê?'

'Ddim go iawn,' meddai Harri. Lapiodd Oci ei breichiau am ei wddw a chydio ynddo'n dynn. 'Rhywun arall biau hi. Signor Blondini yn y syrcas.'

'Dwyt ti ddim yn meddwl y byddai'n well i ni fynd â hi'n ôl?' holodd Dafydd.

'Tybed ydi o wedi bod yn hiraethu amdani hi?' gofynnodd Harri.

'Mwy nag y medri di ddychmygu, Harri,' meddai Dafydd, gan sychu'i wyneb â blanced roedd rhywun wedi'i rhoi o amgylch ei ysgwyddau. 'Ond dim mwy nag rydan ni wedi dy golli di, Harri. Ty'd. Awn ni adref.'

'Does neb yn cael mynd i unman nes mod i'n dweud,' meddai Anti Enid yn bendant. 'Dowch adre efo fi i gael bath poeth, braf. Wedyn mi gewch chi sychu o flaen y tân a chael paned o siocled poeth, ac *yna* mi gewch chi fynd adre.' Feiddiodd neb anghytuno efo hi.

Wrth i gar yr heddlu adael y rhes o dai yn nhywyllwch yr oriau mân, tyngodd Dafydd na fyddai byth bythoedd yn cael bath efo tsimpansî eto. 'Os nad oedd hi'n tynnu'r plwg,' meddai, 'roedd hi'n chwilio ym mhobman am y sebon. Ac ar ôl cael gafael ynddo, y cyfan roedd hi'n ei wneud oedd ei luchio ata i.'

Chwaraeodd Oci efo'i thraed am dipyn, yna swatiodd wrth ochr Harri ar y sedd gefn a syrthio i gysgu. Roedd Dafydd a'r plisman oedd yn gyrru (fo oedd yr un oedd wedi achub Harri) yn herian ac yn pryfocio'i gilydd am y dillad roedd y dau wedi gorfod eu benthyg, a'r rheiny'n llawer rhy fawr iddyn nhw. Pwysodd Harri yn erbyn ysgwydd Dafydd a theimlo'i fraich yn gafael amdano. Teimlai'n rhy flinedig i boeni hyd yn oed am wynebu'r canlyniadau pan gyrhaeddai adref, ac roedd ar fin llithro'n araf i gwsg braf pan glywodd y plisman yn siarad eto.

'Ydi o'n cysgu, syr?' holodd.

'Ydi, dwi'n meddwl,' atebodd Dafydd.

'Ro'n i'n dweud wrthyn nhw yng ngorsaf heddlu'r Rhyl, syr, pan es i yno i newid fy nillad, mai rhai fel'na rydan ni'n hoffi eu magu yn Lerpwl. Roedd angen tipyn o blwc, syr, i wneud hynna – eich hogyn chi'n neidio i'r môr ar ôl y tsimp. Do, mi achosodd helynt a hanner i ni, ond dach chi'n ddyn lwcus iawn, syr, i gael mab fel yna.'

'Dwi'n sylweddoli hynny,' meddai Dafydd. 'Does 'na 'run arall tebyg iddo, mae hynny'n sicr.'

'Gobeithio hynny'n wir, syr. Dydan ni ddim eisio gorfod neidio oddi ar y pier bob nos, nac 'dan?' Roedd

Harri'n cysgu'n sownd cyn i'r ddau ddyn orffen chwerthin.

Roedd y wawr wedi torri pan ddeffrodd Harri wrth i Dafydd ei ysgwyd. Roedd Oci'n dal i chwyrnu wrth ei ochr ar y sedd. 'Rydan ni wedi cyrraedd, Harri,' meddai Dafydd wrth i'r car arafu a stopio. Cododd Harri ar ei eistedd ac edrych allan drwy'r ffenest. Doedd ganddo ddim syniad lle roedd o nes gweld yr arwydd dros y giât: 'Syrcas Blondini'.

'Ro'n i'n meddwl y byddai'n well i ni wneud hyn cyn mynd adref,' meddai Dafydd. 'Be wyt ti'n feddwl?' Gwyddai Harri fod Dafydd yn iawn. 'Fyddwn ni fawr o dro,' meddai Dafydd wrth y plisman. Deffrodd Oci'n ddigon rhwydd, ond dim ond hanner effro oedd Harri pan aethon nhw allan i awyr oer y bore.

Doedd neb o gwmpas heblaw rhyw bostman, ei sach dros ei ysgwydd, yn troedio'n drwm ar hyd y palmant tuag atyn nhw. Pan welodd Oci, stopiodd a rhythu cyn croesi'r ffordd i'r ochr arall. Cydiodd Dafydd yn llaw Harri, a cherddodd y ddau drwy'r fynedfa tuag at yr hanner cylch o garafanau a osodwyd y tu ôl i babell anferth y syrcas. Roedd yno arogl cryf o wellt a thail, arogleuon oedd yn atgoffa Harri o'i noson yn y syrcas; teimlai'r cyfan yn bell iawn yn ôl erbyn hyn.

Roedd Oci'n gwbl effro ac yn tynnu'n galed ar law Harri. Gwyddai i ble roedd hi'n mynd rŵan a chyflymai ei chamau bob eiliad. Yn y diwedd, doedd dim modd i Harri ddal ei afael ynddi a thorrodd yn rhydd, gan sgrialu ar ei phedwar i gyfeiriad rhyw garafán felen, yr unig un oedd â mwg yn dod o'r corn. Ar ben y grisiau, ymestynnodd Oci at ddolen y drws, ei agor a diflannu i mewn. Gallai Harri a Dafydd ei chlywed yn hwtian y tu mewn. Petrusodd Harri am funud bach.

'Oes raid i mi?' meddai.

'Oes, dwi'n meddwl, Harri,' meddai Dafydd. 'Wyt ti'n cytuno?' Dringodd y ddau y grisiau efo'i gilydd a mynd i mewn.

Eisteddai Signor Blondini mewn cadair freichiau wrth ymyl ei wely, ac Oci'n sefyll ar ei lin. Llifai dagrau i lawr wyneb Signor Blondini.

'Fi sy 'ma,' meddai Harri.

Roedd Signor Blondini braidd yn ansicr ar y dechrau. Crychodd ei dalcen wrth graffu i weld pwy oedd yno. Yna gwenodd a nodio. 'Aha! Ti sy 'na! Y *bambino*!' meddai. 'Y *bambino* yn y parc, yntê?'

'Dyna lle dois i o hyd i Oci,' meddai Harri. 'Do'n i ddim yn bwriadu ei dwyn hi, wir yr. Dim ond eisio'i benthyg hi am dipyn bach o'n i.'

Amneidiodd Signor Blondini arno i ddod yn nes. Teimlodd Harri law Dafydd ar waelod ei gefn yn ei wthio ymlaen. 'Ti'n ei licio hi'n dwyt ti, *bambino*? Ti'n licio Oci fi gymaint â hynny?' meddai gan ymestyn i gydio yn llaw Harri.

'Ydw.'

'Ac wedi edrych ar ei hôl yn dda?'

'Do.'

'Mae Harri'n sylweddoli ei fod o ar fai, Signor Blondini,' meddai Dafydd. 'Ond mi achubodd ei bywyd hi trwy neidio i'r môr ar ei hôl a'i hachub rhag boddi.'

Ceisiai Signor Blondini dawelu Oci. Tynnodd ei law

dros ei phen a chosi y tu ôl i'w chlustiau. '*Va bene*, Oci. *Va bene*,' meddai. Setlodd Oci ar ei lin a chwarae â'i fresys. Sychodd Signor Blondini ei lygaid â'i hances boced ac edrych ar Harri. Ac eto, doedd o ddim yn edrych *arno*. Ddim yn hollol. Gwyddai Harri ei fod wedi gweld y llygaid yna o'r blaen yn rhywle, ond ni fedrai gofio ymhle. Llygaid rhywun arall oedden nhw, roedd yn sicr o hynny. Roedden nhw'n bŵl ac fel petaen nhw'n edrych drwyddo neu heibio iddo. Yna sylwodd ar y wisg yn hongian dros gefn cadair. Gwisg ddu a gloÿnnod byw mawr coch ac aur drosti. Wrth ei hymyl, roedd hen gês ffidil tolciog, ac ar ben hwnnw roedd wìg o wallt coch, hir.

'Chi 'di'r clown yna, yntê?' gofynnodd Harri. 'Mistar Neb ydach chi, yntê?'

Gwenodd Signor Blondini a nodio. 'Paid â sôn gair wrth neb, *bambino*,' meddai. 'Cyfrinach fawr. Ond ti'n iawn. Pan fi'n gwisgo'r wisg acw, Mistar Neb ydw i – Mistar Neb y clown.' Rhoddodd ei law ar ben Oci. 'Ac nid dim ond tsimpansî ydi hon, *bambino*, nid i Mistar Neb. Hi ydi llygaid Mistar Neb. Fo ddim yn gweld mor dda erbyn hyn. Oci'n ei dywys i le mae o eisio mynd. Yn ei arwain rownd y cylch rhag iddo faglu a syrthio. Hi ydi ei *occhi*. Wyt ti eisio gwybod be mae *occhi* yn ei feddwl, *bambino*? Dyna'r gair Eidaleg am lygaid. Ti'n deall rŵan, wyt? A dim ots gan Mistar Neb dy fod wedi benthyg Oci, *bambino*. Be sy'n bwysig ydi bod ti wedi dod â'i lygaid o'n ôl er mwyn iddo fedru gwneud ei act fel mae o wedi gwneud ar hyd ei oes. Fel mae o eisio gwneud tan fydd o'n marw.' Clywyd ci'n cyfarth y tu allan a chododd Oci ar ei heistedd ar ei hunion. '*Va bene, va bene*, Oci,' meddai Signor Blondini'n dawel, ac anghofiodd Oci am y ci yn syth.

'Be 'di ystyr y geiriau *va bene*?' gofynnodd Harri.

'*Va bene*? Mae'n golygu bod popeth yn iawn, *bambino*. Mae'n golygu y bydd popeth yn iawn rŵan,' meddai Signor Blondini.

Yn ôl gartref, unwaith roedd y dagrau a'r cofleidio drosodd, eisteddodd pawb gyda'i gilydd i gael brecwast o de ac uwd lympiog Nain Jenkins. Wrth fwyta, dywedodd Harri'r hanes i gyd wrthyn nhw – popeth roedd o'n meddwl y dylen nhw ei wybod, o leiaf.

Ar ôl i Tomi orffen bwydo, cododd ei fam ac estyn y bychan i Harri. Cydiodd yntau yn ei frawd bach gan roi un llaw y tu ôl i'w ben i'w gynnal. Yna rhoddodd o'n fedrus dros ei ysgwydd er mwyn codi'i wynt.

'Lle ar wyneb y ddaear y dysgaist ti wneud hynna?' gofynnodd ei fam. Doedd Harri ddim wedi sôn am y rhan honno o'r stori. Rhoddodd Tomi'n ôl i'w fam heb ateb a rhedeg i fyny'r grisiau i newid i'w ddillad ysgol. Pan ddaeth yn ôl i lawr, roedden nhw'n siarad efo'i gilydd yn y gegin. Tawodd pawb pan ddaeth i mewn.

'Mae gen i rywbeth i Tomi,' meddai Harri, gan estyn ei fwclis afalau derw i'w fam. 'Gewch chi gadw'r gadwyn iddo fo nes y bydd o'n hŷn.' Edrychodd pawb yn hurt arno. 'Mi ddaw hi â lwc dda iddo fo,' meddai a throi i fynd.

'I ble wyt ti'n meddwl ti'n mynd?' gofynnodd Dafydd. 'Dim ond rhyw awr neu dwy o gwsg gest ti neithiwr.'

'I'r ysgol,' meddai Harri. 'Mae'n fore Llun, tydi? Dwi'n mynd i'r ysgol. Fiw i mi golli diwrnod arall. Byth eto. Dwi wedi addo i rywun.'